妻沼聖天山の本殿は、平成 15 年から７年間かけて修復工事が行われ、本殿周囲には極彩色の彫刻が再現された。
24 年７月９日に埼玉県の建造物として初の、そして唯一の国宝に指定された。〔鈴木英全院主提供〕

割烹料理「千代桝」東面から見た建物。花袋が訪れた頃は真ん中の建物が三階建てで、客室や 宴会場があった。現在は会食や宴会用として使用している。左の建物が本館、通常、客はこの本館で食事する。

平成 31 年４月、開創 840 年を記念して秘仏御本尊のお開扉法会が開催され、各方面から約 10 万人の人達が訪れた。写真は、聖天山歓喜院 英全院主（中)、英秀副院主（左)、院主の二人のお孫さん（前)。
〔鈴木英全院主提供〕

この写真はお開扉法会の一連の行事、「火渡り」である。これは、修験者が人々の心願成就を祈り護摩を焚いて行う荒行である。毎年、春・秋の例大祭に行っている。
写真中央は英秀副院主。〔鈴木英全院主提供〕

尾曳橋から見た城沼。左側は尾曳稲荷神社、善長寺、その間に外伴木の武家屋敷、花袋の生家があった。右側はつつじが岡公園。

尾曳稲荷神社。天文元年（尾曳城〔後の館林城〕）城主赤井照光が城の鬼門にあたる稲荷郭の地に守護神として創祀したと伝わる。歴代城主の信仰も篤かった。境内には歴史を物語る遺物も多い。花袋の幼友達進藤長作が、後に宮司を務めた。

復元された館林城三の丸の「土橋門」。館林城は、明治7年、火災のため焼失。城址は花袋ら子供たちの遊び場でもあった。母の話によれば、武家の世には、この城跡の草むらの上に豪壮典雅な城が建っていたのだと…。

城沼の畔に「つつじが岡公園」が広がる。樹齢800年を超えるものもあり、毎年花の季節になると色とりどりのツツジが咲き美しさを競い合う。少年花袋は、城沼やツツジを漢詩に詠み「城沼四時雑詠」63首を編んだ。

妻沼逍遥

文豪田山花袋の軌跡

『残雪』脱却の旅

増田育雄著
Ikuo Masuda

まつやま書房

はじめに

花袋作品との出会いについて

花袋の作品とはじめて出会ったのは高校に入学して間もない頃であった。『田舎教師』である。『田舎教師』の主人公 林清三のモデルとなったのは小林秀三（ひでぞう）という埼玉県立第二中学校（旧制熊谷中学校、現熊谷高校）の第二期生、筆者 増田（以下、「筆者」とする）の母校の創立期の卒業生であった。

小林秀三の写真を見ることがあった。秀三の顔を見ていると想像力がかきたてられた。どんな青春を送ったのか…、『田舎教師』を読んでみようと思った。

一人の若い小学校教師が青雲の志を抱きながらも、病の床に伏し、田舎に埋もれたまま、その夢を果たすことができずにいた。日本が遼陽（りょうよう）を占領し、大国露西亜（ろしあ）との戦いに勝利した提灯（ちょうちん）行列の歓呼の声を病床で聞きながら、自分が御国の役にも立てない虚（むな）しさ、無念さを噛みしめながら死んで行く。その青年教師の無念さが伝わって来るようで、強い印象が残ったのを覚えている。同時に、作者である文豪 田山花袋の名前もしっかりわが脳裏に刻みこまれた。その後、代表作の『重右衛門の最後』、『一兵卒（いっぺいそつ）の銃殺』、『蒲団』を読んだ。これらの他に花袋の作品は読んでいなかった。

『残雪』を知ったのは、ずっと後年のことである。まさかこれほどの多作の作家であったとは知らなかった。花袋の著作は、館林の「田山花袋記念文学館」によれば、小説約四五〇篇、評論約六〇〇篇、紀行文約二〇〇篇、随筆約二〇〇篇、詩歌約三五〇篇である。驚くべき筆力、意欲、強靭な精神力である。花袋は、各地を旅し見聞し、人と会い、ペンを離さず何処でも書きまくり、晩年まで文学への意欲を失うことなく歩み続けた作家であった。

「『残雪』脱却の旅―妻沼逍遥―」著作の動機について

『残雪』は、妻沼町（現 埼玉県熊谷市妻沼）の妻沼聖天山及びその境内にある老舗割烹「千代桝」がその舞台になっている。しかし、この小説について詳しく知っている人は周りにいなかった。

花袋がいつ頃どうして妻沼に来たのか、ここで何があったのか、その小説がどのような内容なのかさえ分からなかったのである。筆者もその一人であった。

花袋が宿泊した割烹料理「千代桝」の前にある「千代桝（割烹）残雪の家 文豪田山花袋 残雪の舞台となる　妻沼町教育委員会」と書かれた小さな石碑があるばかりで、『残雪』という小説のことを示すものは他になかった。これはいつかしっかり説き明かしておく必要があると感じたことが、この作品の研究を始めた動機であった。

先ずは『残雪』を読むところからの出発であった。古書店で春陽堂『残雪』第三版を購入した。当時よく売れたらしく、大正七年三月新聞連載が終了してから一か月後には単行本になり、僅か三か月で第三版まで版をかさねている。人気がなければすぐに再版などしない。一体どんな小説なのか興味がわいた。

『残雪』は、花袋の人生と密接に関係している作品であることが、読んでみてはじめてわかった。

花袋の生い立ちや、文学上の歩み、文学グルウプとの交流、愛欲までもが、コラージュ（いろいろな素材を切り貼りした絵画技法）のように散りばめられ、花袋の人生が凝縮されている作品であった。

『残雪』の背景

主人公は乗合馬車に乗って残雪の野を走りぬけ、利根川の畔までやって来る。K寺を訪ねた後、舟橋を一人歩いて、妻沼町の「流行仏のある大きな寺（妻沼聖天山）」の境内へと入って来た。

その夜は、境内にある旅舎（割烹料理「千代桝」）に宿を取った。

『残雪』の中で小説の舞台として具体的に地名が登場するのは、「妻沼町」だけである。

この妻沼町の場面には、主人公 杉山哲太（モデル 花袋）の懊悩、すなわち「脱却願望」、「一人の女との愛欲の問題」が暗示されており、プロローグとして、重要な位置を占めている。

大正初期、花袋の心中には文学上の苦悩があった。花袋は自分がその中心でもあった自然主義に翳りを感じ、なんとかしなければという焦りの中にいた。「白樺派」、「耽美派」など、どんどん新しい思潮が生まれてきていた。力の漲った後進の作家たちが追いかけて来る。どちらかというと重く暗い自然主義よりも、時代的に、未来志向で理想主義的な新しい思潮が歓迎されるようになってきたのである。

花袋は、かつて幸田露伴や尾崎紅葉などが全盛の時代に、トルストイやツルゲーネフ、モーパッサン、ゾラ…といった西洋文学の作家たちの影響を強く受け、「新しい文学」を作ろうと勢いよく進んで行った。これとは反対に、今度は自分が、「古いヤツはどいた、どいた」と言われているような、時代に取り残された気分になっていたのである。

自分の文学がどうあるべきなのか、文学上の脱却（脱自然主義）をどのように果たして行けばよいのか…。盟友 島崎藤村らと共に模索していこうと思っていた矢先、藤村は渡仏することになった。

また、花袋には「一人の女」（飯田代子）との愛欲問題があった。家庭（妻と五人の子供）と愛人との関係をどうにかしようと、社会（文壇を含め）からの、また、家庭からの脱却を果たさなければならないという激しい葛藤に苛まれていたのである。「一人の女」がなまじ「真珠」であったがために、花袋の心は捉われて行く。そして不動不壊の愛を希求する。しかし、それを掴むのはた易いものではなく、着いたり離れたりを繰り返し苦しむことになる。

脱却願望と愛欲は一体となって花袋を苦しめてきた。その苦悩の様は、『残雪』の中で、主人公 杉山哲太の心境として吐露されて行く。妻沼の旅舎の一夜、これまでの苦闘の日々を回顧し、心を整理する。黎明の光明の中、読経の響きに包まれて心が浄化されていく場面がある。

そして、Oという僧（モデルは花袋の親友で義兄の太田玉茗）が住職を務める平野の寺（羽生 建福寺）に向かい、心の救済を「一切蔵経」に求めていく心理が描かれている。

残雪に何を見ていたのか？

花袋はしばしば野や山の残雪の風景に眼を止めている。そして、『残雪』という小説のタイトルにも据えている。いったい、花袋はこの残雪に何を見ていたのだろうか。

花袋の「高樹院清誉残雪花袋居士」という戒名には残雪の二文字が入っている。この戒名は「島崎藤村が撰した」と、小林一郎氏の「田山花袋研究―歴史小説時代より晩年―」に記述がみられる。葬儀は初台（渋谷区）浄土宗寺院清岸寺の住職によって執り行われ、多磨墓地に埋葬されたとある。したがって、この藤村の撰文による戒名はこの寺の住職によって授けられたものであろう。

藤村は何故花袋の戒名に残雪の二文字を撰字したのだろうか。花袋の人生を象徴する、また晩年の姿を現す二文字と言ってよいはずである。「高樹院」とあるのは、代々木の自宅に大きな椎の木があり、花袋のお気に入りであったのを藤村がよく知っていたために撰したようである。

『残雪』の中に、「静かに、御堂の方へと行った。（略）静かな朝の読経の声があたりを深く壮厳（ママ）にした。かれは生き返ったような気がした。（略）暁の空気はかれに誕生の喜びと再生の力強さを与えるのが常であったが、今朝は殊にそれが強くかれの心に染み渡って感じられた。かれはこの自分の身にも、世途の艱難と辛労に塗みれ且労れたこの身にも、猶再生の力が残り、復活の思想が湧き返て来るのを覚えた。」とある。

主人公　杉山哲太が残雪を見る先には、雪解けの春の訪れ、すなわち再生と復活の力を感じ取っていると考えられる。決して悲観ではなく、取り残された寂しさでもない。『残雪』の結びのほうに、「さびしいしかし春を予想した冬の野が広くかれの前に展けた。」とあることでもそれが知れる。

『残雪』の構成について

『残雪』を分かり易く読むために、文章構成について考えてみた。『残雪』は長編小説であるが、新聞の連載小説ということもあり、文章が連綿と続き、明確な区切りがなく、構成が示されていない。そのために少し読解しにくいところがある。そこで、筆者は、読者の鑑賞の便宜のために、構成を示し、「見出し」を付けることにした。

『田山花袋と大正モダン』（菁柿堂）の中で、著者の沢豊彦氏は『残雪』の構成について、第一段は「主人公杉山哲太の放逸奔放（ほういつほんぽう）な生活からの脱却願望」、第二段は、「愛欲と家庭の問題にかんする回顧」、第三段は、「芸者、ひとりの『女』にたいしても精神生活においても、危機からの脱却、あるいは再生、転換の道筋」、第四段は、「心のつうじあった少年時代からの友人で、その住持の寺で『一切蔵経（いっさいぞうきょう）』を発見し内面浄化にいたる信仰開眼（かいげん）」という四つのプロットに区分している。

筆者は、沢氏のこの組み立てを踏まえながら、これに「場面」と「時間」（現在と過去）といった視点を加え、わかり易くするため、次のように「四段落」構成にしてみた。

【第一段】 脱却願望——残雪の野を妻沼へ（現在）、**【第二段】** 新規蒔き直しの旅——「家庭」と愛欲の狭間（はざま）で——（回顧）**【第三段】**「一人の女」との愛欲問題と不動不壊（ふどうふえ）の愛の萌芽（ほうが）（回顧）
【第四段】 平野の寺——一切蔵経（いっさいぞうきょう）と内面浄化（現在）

第一段落と第四段落とは、共に「現在」ということで動線がつながっている。主人公は妻沼（聖天山、千代桝）から平野の寺（羽生 建福寺）へと帰って行くのである。真ん中の第二段と第三段は過去であり、脱却の苦悩を回顧する場面である。主人公の心境や思索が長々と吐露されるといった構成である。

『残雪』構想の時期について

沢豊彦氏は、「花袋の『毒と薬』の中に『J.K.Huys Mans の小説』がはいっており、その初出は大正二年九月の『新潮』である。山間の修道院からパリに去るまでのデュルタルをなぞった杉山哲太像が彫り込まれていた時期があるので、実生活の荒廃から『脱却の工夫』を実行しはじめた時期は特定できよう」と述べている。「J.K.Huys Mans の小説」とは、ジョリ・カルル・ユイスマンスの小説『途上』や『彼方』などのことである。デュルタルはこれらの小説に登場する主人公（小説家）の名であり、ユイスマンスの分身と言える。脱却の旅から都会の生活に戻って行く哲太の姿は、デュルタルが修道院からパリへと帰って行く軌跡そのものである。花袋は「毒と薬」の中で「Huys Mans の描法は内面に深く入っている」、「煩瑣に過ぎると思われるような細かい描写をやっている」と述べている。

『残雪』における描法もこれと同様に内面を吐露するスタイルを取っている。花袋はこの頃ユイスマンスに傾斜しており、『残雪』はその影響が色濃く出ている作品である。これまでの花袋作品とはスタイルを大きく異にしている。

花袋が妻沼を訪れた大正四年には『残雪』の構想がある程度出来ていたと考えられ、西長岡から太田、妻沼、羽生と廻った小旅行の中で『残雪』の構想のイメージが膨らみ、リアルに具象化されていったものと推察される。

残雪の野を走り行く馬車、利根川の舟橋、旅舎「千代桝」の夜、酒宴の喧騒、黎明の聖天山の御堂から聞こえくる読経など、小説の舞台は整っていったのではないだろうか。

『残雪』は「…小説」であるのか

『残雪』は、「宗教小説」、「思想小説」などと称されることがあるが、それは主人公の苦悩や心境が綿々と吐露されたり、仏教哲学が持ち出されたり、一切蔵経（いっさいぞうきょう）の中に心の救済を求めるなどの場面があることによるものであろう。しかし、この作品で花袋は仏法を説こうとするものではないだろう。「一切蔵経」という膨大な仏典（経典（きょうてん）を含む）が読みきれるものでもなく、難解な経典が容易に理解できるものでもない。主人公が仏典に向かうのは心を整理する一つの姿勢を表すものである。

主人公は、経典も人間が考えた思想・哲学であるから、その中には人間の生活が在り、人間の悩みや幸せを考える上であてはまるものがあるはずだと考え、自分の苦悩に当てはめようとする姿勢をとっているのである。仏法を説くとか信仰に入るというところにまで深く進んでいるものではないだろう。「…小説」と括ってしまうと、鑑賞の自由を失いかねないと考える。

本著を『残雪』鑑賞・読解の一助に

『残雪』は、田山花袋が文学上の脱却、脱自然主義を試みた作品で、花袋文学の後期に入っていくその分岐点に位置する作品である。表現スタイルもこれまでの作品とはかなり異なっている。花袋らしい、目に浮んで来るような「描写」はあまり見られない。文豪としての体面を捨てて脱却を試みた実験作であり意欲作であった。そういう意味において、文学史的に見ても価値ある作品と言えるであろう。

本著は、知られざる名作『残雪』や、その他の花袋文学の鑑賞、読解の一助になればと考え、刊行するものである。

目　次

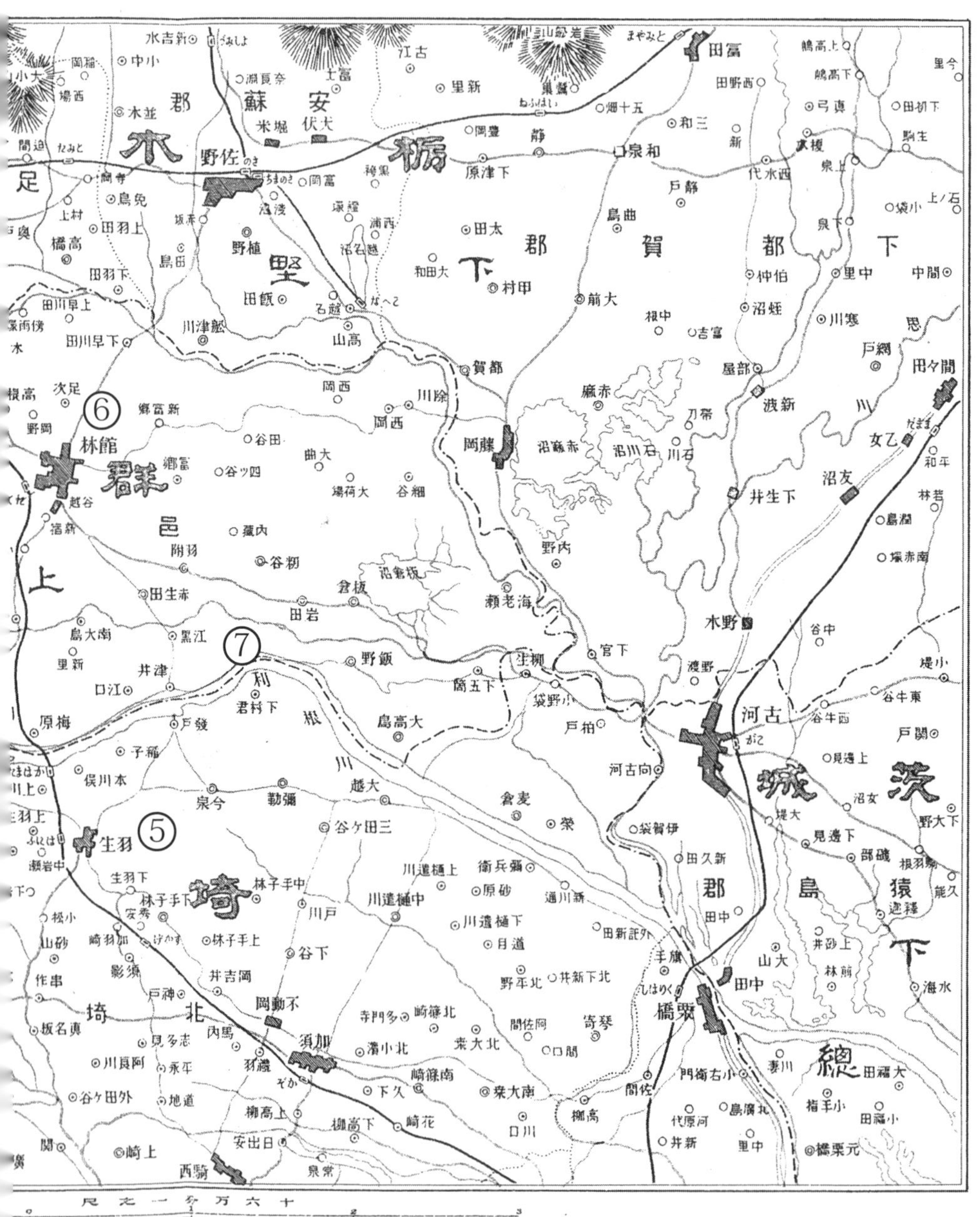

栃木
佐野
冨田
藤岡
館林
群馬
古河
茨城
羽生
埼玉
栗橋
加須
騎西
野木
利根川
上都賀郡
下都賀郡
北埼玉
下総
⑤
⑥
⑦
十六万分一之尺

参考地図は、「田舎教師」初版本明治 42 年発行の復刻本
（「日本近代文学館」発行、「さいたま文学館」所蔵）**より掲載**
※地図上の地名は右から読む

①太　田
「残雪」冒頭、馬車の停車場
②妻　沼
「残雪」の舞台、妻沼聖天山、「割烹料亭 千代桝」がある。
③熊　谷
「田舎教師」モデル小林秀三が卒業した 旧制熊谷中学校がある。
④行　田
「田舎教師」モデル小林秀三、花袋の義兄 太田玉茗の出身地。
⑤羽　生
花袋の妻の兄であり、親友である近代詩人 太田玉茗が住職を務めた 建福寺がある。

「田舎教師」、「小さな廃墟」、「秋の寺日記」、「縁」、「田舎教師」、「幼きもの」、「再び草の野に」、「ある僧の奇蹟」、「Mの葬式」他。
⑥館　林
花袋の故郷。「落花村」、「ふる郷」、「初恋の人」、「春 の町 」、「祖父母」、「幼き頃のスケッチ」、「小さな鳩」、「新しい芽」他多数 。
⑦利根川
明治 40 年、鉄橋が架かり、羽生から群馬側に鉄道が延びた。羽生側にあった川俣駅は廃駅となり、群馬側に新しく川俣駅ができた。

凡例

一、本書に使用した『残雪』の本文は、「春陽堂」発行の『残雪』三版を底本とした。ただし本文の表記について、旧字体（旧漢字）・旧かな遣いについては新字体（新漢字）、新仮名遣いに改めた。また、本文中の繰り返し符号「〱・〲・ゝ」は用いず、文字表記にした。（但し、「々」は使用）。

一、本書においては、文語体の文章（花袋の短歌を含む）を除いては、現代表記に改めた。

一、ルビは、読者の便宜のために筆者の判断においてできるだけ付した。

一、第一部・第一章「『残雪』の概要」については、『残雪』の原文（抜粋）と、原文を要約した梗概（あらすじ）とを適宜用いながら、全体の筋がわかるようにまとめた。

一、第一部・第一章「『残雪』の概要」をまとめるにあたっては、鑑賞・読解の便宜のために、「四段落」の構成とし、四つに区切った。

一、『残雪』は長編小説であり文章が連綿と続くが、構成・見出しが示されていない。そのため、読者の鑑賞、読解の便宜のために筆者が「見出し」を付けた。

一、年齢は、原則満年齢で表記した。ただし、享年（きょうねん）については、数え年のままとした。

一、出版社名、雑誌名・新聞社名、会話部分、その他強調しておきたい事柄全般については「　」で括（くく）った。作品名や「　」の中において更に括りが必要な場合については『　』を用いた。

一、「関係地図」、「田山家系図」、「参考文献」、「年譜」を掲載し、読者の読解・鑑賞の利用に供した。

一、「＊」を付した部分は、筆者が語彙（ごい）の意味や説明を補足したものである。

第一部　脱却の旅

第一章『残雪』（概要）

『残雪』　――全体あらすじ――

杉山哲太を乗せた馬車は、残雪の野を利根川に向かって走って来た。哲太は、川の手前で馬車から降り、K寺を訪ねて行く。そこに亡き友人の妻だったお房という女が、その寺の住職の後添えになって、つい一年前まで住んでいたことを聞き、立ち寄ったのである。友人がチブスで亡くなった後、その妻から何かと頼りにされているうちに哲太は思わぬ罪過を犯してしまう。やがてお房は姿を消した。

寺の山門をくぐるとかの女の影がそこかしこに見えた。庫裏の傍の井戸の釣瓶には女の手が触れたであろうなつかしさを覚えた。裏の林に入って行くと、女の一生の十三年間を自分のものにした老僧の墓があった。暫く佇み、やがてK寺を後にした。哲太は心の中にまた一つ廃墟をつくろうとしていた。

かれは一人利根川の舟橋を渡り、妻沼町の流行仏のある大きな寺までやって来た。その夜は境内にある旅舎に宿をとった。哲太は町の名士達の酒宴の喧騒を耳にしながら、自身のこれまでのデカダン（退廃的）な生活を回顧する。

かれは文学上の葛藤を抱え、一緒に文壇に出て来た友人のグルウプとも距離をおいていた。また、一人の女との愛欲に苦悩していた。これから自分をどう処していくべきか、懊悩は深まるばかりであった。今まで築き上げ積み上げたものを捨て、新規蒔直しをする、それより他にこの魂を生かす方法がないと思った。その苦悩を旅に慰めようと思いあちこち彷徨した。

黎明（早朝）の冷たい空気の中、旅舎から出て大きな寺の境内を歩いた。御堂から読経の声が静かに響き渡り、あたりを深く荘厳にした。かれの心に染み渡って感じられ、デカダンな自分の身にも、なお再生の力が残り、復活の思想が湧き返って来るのを覚えた。

　これまで、哲太はいたる所で、新規蒔き直しをする機会を求め、機織業者、果物栽培者、山奥の温泉場などの現場を見たり事業内容を聞いたりした。荒涼とした北海道や樺太に住む人達の生活を頭に描き、深林を開墾して一生を終るのも悪くないと想像を膨らませたりもした。しかし、それらが空想に過ぎないことはわかっていた。

　ある初冬の寒い日、哲太は、荒漠とした東北の広い原野に移住し二十五年も前から開墾に従事していた親類の家を訪ねた。かれは、人間の生活方法として一番自然で且つ意味がある生活と信ずる農業に深い関心を寄せた。この主の老人の顔からは長年の開墾の苦労が見て取れた。作物は思うように収穫できず、家は見るからに貧しそうであった。哲太はここでも自分の甘さを思い知らされた。

　哲太は遊蕩に耽った。Durtal（ユイスマンスの小説『途上』等の主人公の名）の心の歴史を書いた小説を哲太は繰返し読んだ。酒に、遊蕩に耽っていた彼の心が次第に一人の女の心に向って動いて行った。かれの苦悶はそこから始まったのである。哲太はDurtalのような孤独を痛感して、旅から旅へと彷徨を続けた。

　一方、妻の英子は、母親の死に由って、母に依存していた生活から目覚め、次第に自立していく。それまでの英子にはわからなかった夫 哲太のこと、かれがかつてはデカダンで、エゴイスト（利己的）で、ドン・ジャン（ドン・ファン）の如き浮気者であることも見えてきた。そして、哲太のかげにかくれたその小柄な眼のはっきりした女の姿が浮かび上がってきた。かれがいかにその女に捉えられているか。英子の眼にかなりはっきりと映ってきた。

「時」がかれを脅かしていた。新しい時代がかれを脅かした。いつの間にか自分の時代が過ぎ去って行くのが見えてきた。

哲太はパリにいるSに手紙を書いた。哲太にとってSの渡仏は言いようもない寂しさと焦燥を感じさせられるものであった。またこの上なく羨ましく思われたのであった。

哲太は山の別荘にまたやって来た。ここで孤棲の半年を過ごすのであった。行き着くべき途中の大駅に人生の重荷をおろして、独り思索をめぐらした。愛と憎、生と死、染着、勝敗、そしてこれらを超越した心理等について深く考えた。

哲太はその女と、身延の山に登った。路は深い渓谷に添って鬱蒼とした九十曲折になっていた。些細なことで喧嘩した二人は終始無言であったが、突然雨になり風も強くなってきて、その荒山の凄じい風雨に曝され、女は半ば昂奮し半ば戦慄し、度々足が止まるなどしながら喘ぎつつ登って行った。

哲太は女の身が心配になって来た。思うに、人間はこうした艱難に際した時に、初めて手を仏の前に合せる心になるのだろう。夜霧の中に御堂の屋根があらわれて来た。哲太も女もほっとした。

哲太は女の合掌祈念している姿に凝と見入り、女の胸の中にある過去の波乱の生活、苦悩、懺悔を想った。自分の愛する女をここまで連れて来て、仏の前に、女の真の魂をもって合掌祈念させられたことに満足した。これこそ不動不壊の恋に達する萌芽であろうと思った。

冬のある寒い夜、女が入水（じゅすい）自殺を図ったという知らせが来た。女は、自分は儚（はかな）い浮き草の身の芸妓（げいぎ）であるから…と嘆き、哲太としばしば口論にもなっていた。そして、哲太が女と距離を置く間に、満都（市中、世の中）の人気を集める男と次第に深い仲になっていった。哲太は、女が真実の恋の道に進んでいくのならば、それを妨げまいと考えた。しかし、女にはその男との間に恋敵（こいがたき）の女がいて、裏切られた悔しさから、その相手の女の家に乗り込んで、啖呵（たんか）をきり、剃刀（かみそり）でその恋敵（こいがたき）に切りかかったのである。目的は果たせず、カッとして夢中で裸足のままその家を飛び出して大川に飛び込んだ。幸い、一命を取り留めた。哲太は、女のそうせざるを得なかった衝動と心の苦しみに憐（あわ）れみの念を抱いた。ようやく回復したかの女は、今、勝敗の原理、更にその勝敗を超越した物を掴（つか）もうとしているのであった。哲太は此処（ここ）に来て人間が次第に個から全になって行く様を思わずにはいられなかった。また無明（むみょう）から次第に救われて行くように思われた。

平野の寺のOという住職は、哲太が少年時代から心を合わせて来た友である。Oの寺の二階に一切蔵経（いっさいぞうきょう）があるということを聞いた。経文（きょうもん）は、人生の苦痛、艱難（かんなん）、懊悩（おうのう）、解脱（げだつ）の一々の記録であると考えた。そこにはあらゆる人間の心理、苦難、生活の状態があった。哲太は一切蔵経を註釈に頼らず自分だけの考えで、自分の経験と知識と心理とで読んでみようとしていた。自分の苦難を経文の中に発見する考えで読んで見ようと考えたのである。哲太は、薄暗いその一間を「僕の僧房」と呼び、ここで経文（きょうもん）に向き合うことにした。かれの心は輝きと光明（こうみょう）と安楽とに満たされた。さびしいしかし春を予想した冬の野が広くかれの前に展（ひら）けた。

『残雪』—各段落ごとの概要—

第一段落　「残雪の野を妻沼へ」〈現在〉

乗合馬車の停車場

【原文】　町の四角のところに来た。其処には乗合馬車が一台待っていた。馬は既に杙（牛や馬をつなぐ杭）につけられてあった。

「妻沼町へはもうすぐ出ますか？」

絹物を着て幅広の白縮緬の三尺帯をしめて巻煙草をふかして其処に立っている親方らしい男に哲太は訊いた。

「もうすぐ出ます」

こうその男は素気なく答えた。哲太はしかし午飯を済ましていなかった。もう午後二時である。馬車に乗って了えば、猶その飢を抱いて残る半日を過ごさなければならなかった。かれは続いて訊いた。「まだ午飯を食わんのだが、それをやる処はないでしょうか。」

「急いで使っていらっしゃい。待っていますから…」こう言って、其男はその通の角にある飲食店を教えた。哲太は急いで其方へと行った。

うどんの店

【梗概】 哲太は、「うどん蕎麦、御中食」と書いてある店の半ば破れた大和障子を開けた。大釜の湯気が白く立ち上っていた。女が、焼き落を十能に一杯入れたのを手に持って、上がって来て、いきなりそれを哲太の前にある火鉢へとあけた。白い灰がぱっと立った。冷え切った顔と手を火鉢に当て、「おう、暖かい…」と哲太は思わず呟いた。

「うどんを暖かくして大急ぎで持って来てくれ給え」と注文した。

女が向うに行った後を、かれは手を暖かい火の上に翳しながら、静かに窓障子にさし込んで来ている午後の日影に見入った。かれは今、思いがけなくも落ち着いた静かな心持ちになっていた。それは孤独のさびしさの中にも時々染み込んで来る心地よい静けさであった。それは広い長い辛い人生の艱難の中にをりをり現はれて来る静けさであった。何の束縛も持っていないような、自分をも捨て、世間とも離れ、センチメンタルな情緒とも離れ、全く我一人を広い空間に見出したような静けさであった。哲太は今朝立って来た山合の温泉の松原にあった墓を思い起こした。苔の蒸した丸い昔の墓もあれば、欠けて倒れて長い年月をその侭になっていたような墓もあった。何うしてあの墓があれほど深く自分の心を惹きつけたのであろうか。哲太にはどうしても冷めたい石と思うことが出来なかった。かれは哲学も宗教も艱難も快楽もそこに横たわっているような気がした。

農夫の皺（しわ）だらけの手！

【原文】　後の大和障子が明（あ）いて、客が入って来たので空想は破れた。ふとかれは九歳（ここのつ）と七歳（ななつ）位になる二人の子供を伴（つ）れて、綿（めん）フランの黒い襟巻をした五十先（ごじゅうさき）の百姓が、かれの坐っている前に、何の遠慮もないように、又は無限のなつかし味を感じているように静かに近寄って来るのを見た。

「風がねえで、暖かい好い日和ですな」

こう挨拶して、其処（そこ）に積んである座布団を三枚自分で取って、二枚を子供に敷かせ一枚を自分で敷いて坐って、大きな手をその火鉢の上に翳（かざ）した。すぐれた彫刻にでも見るような深い艱難（かんなん）と労働との刻まれてある皺（しわ）の多い顔を哲太はそこに発見した。

「本当に好（よ）い天気ですな」

「風があっては、此処等（ここら）ももう寒くってな…とても出ても歩けねぇ」

「本当ですな。関東の空（から）っ風（かぜ）は堪（たま）りませんな」

やがてお誂（あつらえ）えを聞きに来たさっきの女を其処に置いて、

「お前ら、何を喰（く）う?太いのか？」

「細いのが好（い）いや」

「お前は？」

「細いのが好いや」

「矢張（やっぱ）り、細いのが好いか」

こう言って、百姓は女に饂飩（うどん）とひもかわとを注文した。

子供を大勢持っている哲太には、その言葉の中に深い共鳴を感ぜずには居られなかった。自分の艱難と辛労（しんろう）とは、直（ただち）にその農夫の体と心とに見出すことが出来るような気がした。と、不思議にも、その皺の深い顔が、その太い健（すこや）かな手が堪（たま）らなく懐かしくなって来るのを感じた。

大きい健かな皺だらけの手！　そこに人生の艱難があるのである。人間として生れて来たために、人間の経なければならないあらゆる苦痛と辛労と歓楽とがそこにあるのである。その手は曽（かつ）ては幼い小さな手であった。また野に出て肥料をも平気でつかむような手であった。世間を渡るにつけての武器としての手であった。否（いな）、こうした百姓でも、矢張（やは）りその手は女の手を握ったことがあるに相違なかった。またあらゆる明暗と表裏と悲喜との境（さかい）を通って来た手に相違なかった。

哲太はその健かな大きな手に比べて、自分の手の蒼白（あおじろ）く滑（なめら）かに小さいのを見た。それも矢張りいろいろな境を経て来た手ではないか。説明することのできないほど複雑した心理を経て来た手ではないか。かれはその太い皺だらけの手に握手したくなった。百姓はその手を火の上に翳（かざ）して、おりおりそれを揉（も）むようにした。

残雪の野を走る馬車

【原文】　馬車は真直（まっすぐ）な路（みち）を走った。時々けたたましい喇叭（らっぱ）の音をあたりに響かせながら、又はをりをり立留（たちどま）って路を歩いている近所の百姓（ひゃくしょう）や上（かみ）さんを載せながら…。そしてその背景を広い野が、

畑が、林が塗った。更に遠く山の雪が銀のように美しくきらきらと日に輝いた。珊瑚樹の葉の厚い高い垣があったり、霜や雪にしもけた菜の畑があったり、日当りの暖かい縁に老婆が後向きになって糸を繰っていたりした。林の影になったところはぐちゃぐちゃした泥濘で、林の中の笹は半ば残って雪に埋められていた。西風の吹く日には、この街道などは殆ど顔も向けられぬように、手も足もちぎるるように寒さを覚ゆるのが常であるが、今日は幸いに穏やかで、暖かで、馬車の馬は歩みも次第に緩くなって行った。

馭者がその近くにいる客と土地の話をしているのに引きかえて、車掌はほっと呼吸をついたというように、後の台に立ちながら、こっくりこっくりと短い僅かな仮睡を貪った。そして時々吃驚したように大きく眼を明いてあたりを見廻した。哲太にはそうした車掌や客達の生活が眼に見えるような気がした。烈しい労働、僅ばかりの報酬、一日の仕事を終ってからの酒、かれ等にも矢張その手の届くところに歓楽の相手がいて、愛欲の苦痛もあれば、孤独のさびしさもあるのであった。

K寺へ

【原文】　こうした思いを載せて馬車は時には留り、時には走って、残雪の野を無関心に唯妻沼町の方へと向って進んで行った。後の台のところで、車掌は矢張こっくりこっくりやっていた。

利根川の少し手前で、馬車を見捨てた哲太は、一番先に、街道の角(かど)のところにある小さな店で煙草(たばこ)を買った。そして其処の上(かみ)さんにある寺の所在を訊(き)いた。

「もう一二町(いちにちょう)（一町は約百メートル）、行ったところから右に曲るんです。少し行くと、森が見えますから、じきわかります。」こう上さんは教えてくれた。

「まだ、余程(よっぽど)ありますか」

「なアに、四五町(しごちょう)位(くらい)なもんでさ」

で、哲太は静かに歩き出した。さびしい、孤独な、薄い午後の日影がじっと魂(たましい)に染(し)み通(とお)るというような気分である。

お房さん（回想）

【梗概】　友人が腸チブスを病んで急に死んで行った時には、かの女はまだ二十五であった。若い美しい後家(ごけ)さんだった。哲太は今でもその派手な手絡(てがら)をかけた丸髷(まるまげ)姿を思い出すことが出来た。夫の死後、急に頼りなさを感じて、かれに縋(すが)って来た。かれは「お房さん」または「奥さん」でなく、「お房…」と呼ぶことが出来る身になっていた。哲太は思いもかけない罪過(ざいか)を犯(おか)してしまった。お房はやがて哲太の元から消えた。お房には子供がいなかったが、夫が生前その甥(おい)を養子にしていた。その男の子を連れてどこかへ去って行ったのである。それから十三年の月日が経(た)っていた。

今年かの女は三十八になるはずである。風の便りに、そのお房がK寺の住職の妻となっていることを聞いたのである。住職は、二十歳以上も年の離れた若い妻を溺愛した。お房の連れて来た男の子を寺の後継者にし、お房が一生困らないようにするつもりでいたが、この二度目の夫である住職も二年前に亡くなってしまった。男の子は僧侶になるのは嫌だというので、やむなく寺の株をかなりの金で売って、寺から出て行ったということであった。K寺の住職はどこからか新たに入って来た。

人の魂を蕩かさずにはおかないその眼や、縋るような、なよなよとした姿の一つ一つがはっきりと彼の眼の前に浮んで見えた。

舟橋を渡って妻沼へ

【原文】一時間後には、かれは自分の姿を流行仏のある大きな寺の境内の旅舎の一間に発見した。かれは寺（K寺のこと）で住職にわかれてから、残雪の美しい中を流れる錆鉄色をした大きな川に架った舟橋を渡って、静かに妻沼町へとやって来た。川の上流には、河川工事の浚渫船やトロコが混雑と動いていて、其処から黒い煤烟がもくもくと寒い風に靡いていた。

流行仏のある大きな寺と境内の旅舎

【原文】その旅舎は此処等に沢山にある、遊蕩気分の漲っている家であることがすぐ一目でわかった。で、かれは一度引返して、他に静かな宿を町の通りに探したけれど、狭い町にはそうした旅舎は何処にも発見することが出来なかった。彼は再びその境内へと引き返した。

白粉をつけた女と中年先の主婦とがひまそうに店で将棋をさしていたが、かれが入って行くと、中途でそれを止して、その白粉の女がかれを二階へと案内した。

庭に面した静かな一間の方をかれが選ぶと、女はじろじろとかれを見ながら、「こちらはお客があるかも知れませんから……」こう言って長い廊下を隔てた方の暗い一間をかれに当てた。

かれは為方なしに其処に坐って、女が火を運んで来るのを待った。（略）

「向うに、客が来て騒ぐんじゃないかな」

笑いながらこう女に言うと、

「そんなことはありません、大丈夫ですよ。この頃はそんなお客なんかありゃしません」こう女は笑いながら言って、そして火を火鉢の中に入れて、トントン音を立てて階梯を下りて行った。

哲太は立ってあちこちを見廻した。落葉の一杯に積った庭、米俵や叺の入れられてある土蔵、それから此方に来る深い庇の下では、はっぴ姿の指物師が、寒そうに又は労れたようにして、おりおり手を熨（炭が熾きて熱くなった状態）になった火鉢に当てながら障子の桟を造っていた。

日はもう暮れ近かった。残った余照は明るくしかしさびしく周囲の大きな杉森の中を照らした。室の中の田舎廻りの絵師の書いた山水の襖、拙い筆跡の幅物、そうしたものにも人生の艱難が縮図されているのをかれは思った。と、急に、「トン、トン、トン、トン、トン――」という鼓の音が、町を通って行っている獅子舞の囃の音が、家屋を越し、夕日のさし透った境内の杉の葉を越し、山の雪の閃

輝に囲まれた寒い平野を越して、二階の前の障子に震えるようにその響を伝えて来た。

「トン、トン、トン、トン」

かれは獅子舞の幼い子供を、又は鼓を打ってその後についている男をすぐ眼の前に見るような気がした。かれ等放浪者の顔は、こうして日暮に食を得るための銭を求めているのであった。

「自分などは贅沢だ。自分の恋の苦しみなどは…」こう哲太は思いながら、町を通って行くその高い囃の響に耳を傾けた。

歓楽の夜

【原文】果してその夜は嵐のような騒ぎの中にかれは転輾反側した。かれは其処に酒に酔った人たちの声と、男の女に戯れる気勢と、浅薄な歓楽の得意とを見出した。調子外れの唄は唄に続き、節は節に続き、声は声に続いた。女達が階段から廊下をパタパタと歩いて行く音が絶えず聞こえた。

かれ等は九時頃からやって来た。それ迄は静かな田舎の旅舎の一夜であった。向うに一間を隔てて、新たに鉄道を地方に敷く計画をしている男が一人二人、酌婦を相手に酒を飲んでいたが、それはさほどかれの瞑想の邪魔にはならなかった。彼は住職に逢って聞いたかの女の行方を淡い心で思い浮かべたり、現に廃墟になりつつある女の事を繰返したり、長い人生の中に一度逢ってそして別れて行って了う人達の不思議さを考えたり、落葉のガサコソと夜の風に散るのを聞いたりして、綿の固い更紗の四布蒲団に体の暖まるよすがもないのを侘しく思いながらうとうととしたが、彼等がやって来た気勢に眼を覚まされてからは、もう再び瞼を合わせることが出来なかった。かれ等四人か五人連れであった。何でも町の会の崩れであるらしく、来た時からしてもう大きな声で唄などを唄っていた。そしてその中には、町の医者があり、町長次席の男があり、豪農の主人があり、旋毛まがりの議論好きの有志がいるのが段々わかった。かれ等はもう分別盛りを過ぎた人達であった。家にいては、一廉の主人であり父親であり夫である人達であった。中には今の政治と政治家とを批評するようなものもあれば、町のための事業に熱心に鞅掌（忙しく働くこと）するようなものもあった。それにも拘らず、その騒ぎは！そのはしゃぎ様は！その唄は！その踊りは！女に戯れるさまの露骨さは！しかしそうした遊蕩に、又そうした歓楽に、場所こそ違え、心の持方こそ異なれ、曽ては十分に浸ったことのあるかれは、それを唯無意味に煩いとか、喧しいとか、傍若無人とか言って非難する気にはなれなかった。そこにかれはかれ自身をも見出すことが出来た。

　また、かれ等が酒さめ、興尽きた後、ソバア（酔いから醒めたような表情）な顔をして、悄気て家路に辿るさまをも想像することが出来た。寧ろかれはそういう単純な心の状態にいて、または深くその世界の底を知ろうともせずに、酒と女とに軽く平凡に騒いで行く人達を羨むような心持がした。

　一方またそうした客の相手になる女達の生活や、こうした稼業をして世を過して行く店の人達の生活が種々と細かくかれの胸に上って来た。続いてかれの経て来た数年来の女の色彩や影や艶かしい言葉や反故になり易い誓約などが、唄と踊りと三味線と嵐のような騒ぎと、女のきゃっきゃっと戯れる気勢（けはい）とに雑（まじ）り合って見えた。

「逸見（へみ）さんの棚（たな）の達磨（だるま）さんは今日始めて見た。禿（はげ）ちゃんに似合わずうまいな」こう女の一人が言うのが聞えた。

「禿ちゃんはけしからん。貴様、禿ちゃんって言ったな。お清だな」こう言うかと思うと、今まで踊りをおどっていた半ば老いた町長次席が、急にそれをよして、遁（に）げ廻（まわ）る女を追い懸（か）けて、廊下まで出て来て、ぱたぱたと此方（こっち）の障子や襖（ふすま）に突当（つきあ）った。女は廊下の角（かど）でやがてつかまったらしく、「御免なさい…」と半ば笑うような声で言って、ギウギウ押（おさえ）つけられている気勢がした。

一時間、二時間経（た）っても、その騒ぎは容易にやまなかった。まずい都々逸（どどいつ）も出ればサノサも出た。小女（こおんな）はあとからあとへと徳利（とくり）を運んで来た。哲太は眠られぬ一間で、老いた百姓の大きな健やかな手を思い出したり、馬車の後ろの台で仮眠（うたたね）を貪（むさぼ）った車掌（しゃしょう）を思い出したり、レールに飛び込んだ丸い筒袖姿（つつそですがた）を思い出したり、町を通って行く獅子舞（ししまい）の囃子（はやし）の音を思い浮べたりした。

魂の問題…

【原文】ふとある物がかれを襲って来た。それはかれに取って侘（わび）しい辛（つら）いものであった。かれはいつもそれがやって来るのを恐れた。いつもかれはそれを押退（おしの）けるように、ようにとつとめた。それは魂（たましい）の問題であった。それに襲われると、かれはいつも自分の心が、魂が粉微塵（こなみじん）に粉砕（ふんさい）されるのを見た。居ても立ってもいられない様（よう）な気がするのを見た。こうして落附（おちつ）いて旅などに出ている自分が余りに暢気すぎるようなのを見た。世間に人間にそうしたことがあるに堪えられないように、身がかっとほてってくるのが常であった。

かれは今それが起こってくるのを此上なく恐れた。この嵐のような騒ぎの中に、何うすることも出来ない旅舎の深夜に、それがやって来ては大変だと思った。かれはつとめて心を静かにした。わざと旅の出来事などを軽く頭に浮べるようにした。

枕元に置いてある薄暗いランプのホヤが半は黒くなっているのをかれは見た。かれはわざと心をまぎらかすように隣の騒ぎに耳を傾けたり、床の上にひとり起上って見たり、立って障子をあけて足音高く厠へ下りて行ったりした。幸いにして、そのあるものはそう強く襲っては来なかった。次第に心から離れて行った。

「そうだ…。それより他に路はない。一切を捨てる。第一に家庭を捨てる。次ぎに世間を捨てる。学問を捨てる。知識を捨てる。今まで築き上げ積み上げたものを捨てる。そうして新しく新規蒔直しをやる。それより他に為方がない。それより他に、この魂を生かす方法がない」

こう思って、かれは手を拱いた。これまでにもかれは何遍それを繰返したか知れなかった。かれは三四年以来そうした思いに悩まされ通してやって来た。一緒に揃って出て来た友人のグルウプにも、そのためかれは逢おうともしなかった。そしておりおりその決心を口に出して言った。しかし、その実行がいかに難しく、いかに不可能であるかを考えると、かれはいつも思い崩折れずには居られなかった。床の上に坐ったかれの姿は後の襖にさびしく黒く映った。

隣室では、今が歓楽の頂上であるかのように、皆な揃って、酔って、手を叩いて、何にもわからないような唄を唄った。女達も夥(おびただ)しく酔ったらしかった。かれ等(ら)は家も動くばかりに、終(しま)いにはドウドウ廻(めぐ)りをして室中(へやじゅう)を踊り廻(まわ)った。黄(きいろ)い女の金切声(かなきりごえ)は男の濁声(だみごえ)と一緒になって、深夜の空気を動かすばかりにした。

この騒ぎも、かれのためには心をまぎらせるものとしては役立った。その騒ぎがいくらか静まって、客が一人二人帰る時分(じぶん)には、かれも思いに疲れて、蒲団(ふとん)が薄く体や足が暖まらないのをも忘れて、いつかうとうとと睡眠の中(うち)に入って行っていた。

しかし、寒さは、平野の冬の夜の寒さは、かれを長く安眠の境(さかい)には置かなかった。

黎明の御堂

【原文】かれは朝早く眼覚めて、着物を着て、外套(がいとう)をはおって、襟巻(えりまき)をして、そのまま二階の階梯(はしご)を下(お)りて行った。

暁の光は既に窓の隙間(すきま)に明るくさし込んでいるに拘(かかわ)らず、家の人々はまだ深い熟睡に落ちて、容易に起きようともしなかった。店には昨日騒いだ女達が煎餅(せんべい)のように薄い蒲団(ふとん)に満足して、或(あるい)は枕を外(はず)し、或は髪の壊れかけた髱(たぼ)を見せ、或は白い顔を仰向(あおむ)けにして、縦(たて)にまた横様(よこざま)にいぎたなく睡眠を貪(むさぼ)っていた。かれはあたりを見廻した。幸いに今起きたばかりの下男(げなん)が、眠そうな眼をこすりながら、かれのために店のくぐりを明けて呉(く)れた。かれは逃(のが)れるようにして黎明(しののめ)の冷たい空気の中に出て行った。

冷めたい朝の空気は刺すようにかれの肌に染み通った。かれは林間を透して来る黎明の光を眺めながら、静かに、御堂の方へと行った。そこには仁王尊の彫像のある中門があったが、奥の本堂では、蝋燭の火が残った夜の薄暗い影を照して、静かな朝の読経の声があたりを深く壮厳（ママ）にした。

かれは生き返ったような気がした。世間の暗黒の底から嬉しく浮び上ったような力強さを感じた。今日に限らず、暁の空気はかれに誕生の喜びと再生の力強さを与えるのが常であったが、今朝は殊にそれが強くかれの心に染み渡って感じられた。かれはこの自分の身にも、世途の艱難と辛労とに塗みれ且労れたこの身にも、猶再生の力が残り、復活の思想が湧き返て来るのを覚えた。かれは静かに本堂の前に行って、長い太い紐を引いて、鰐口を鳴らして手を合せて礼拝した。

この静かな朝の読経と、刺し透るような朝の空気と、朗な生々とした黎明の光とが、何故人間には長く続いて行かないのであろうか。何故生温い心や暖かい空気や妥協し易い雰囲気が午前よりは午後、午後よりは暗い夜という風に混濁して行かなければならないのか。かれは黎明ということを長い間考えて来た。心の黎明、魂の黎明、思想の黎明、そういうものに誰も皆な深く憧れながら、遂にその黎明はやって来ないではないか。またかれの一生にもそうしたあざやかな力強い黎明が来そうにも思われぬではないか。

中門から表門へと長く通じた敷石を隔てて、御堂の四周をめぐる深い杉の林の樹間には、赤い美しい黎明の空が、やがて生れて来る大きな日輪を予想させつつ、厳かに四辺にひろがり渡っているのが指さされた。朝早くからお詣りに来る人達の下駄の音は、凍った敷石の上にカラコロと音を立てて響いて聞えた。

早起きの子供達は、いつまでも侘しい臥床の中にあるに堪えられぬように、赤い毛糸の襟巻などをして、元気よくこの寒い境内へとやって来ていた。ところどころ、家屋の蔭、樹の根元、屋根の隅々とに残った雪は、凍って固くなって、中には半ば泥に塗れたものなどもあった。中門の前に立ったかれは、不意にある生物の無限に喜び合い囁き合うような声を耳にした。やがてそれは朝の目覚に歓喜している楼上の無数の鳩の啼き声であることを知ったかれは、心に一種の爽かな再生の喜びの共鳴を感ぜずにはいられなかった。見ていると、鳩は一羽二羽と其処から次第に飛んで下りて来た。布子（綿入れの着物）姿の顔の皺の深い爺がかれの傍を掠めて通って行った。

「鳩ですな、あの音は？」

「そうだ…矢張、鳥獣でも、夜の明けたのが嬉しんだんべ」

「毎朝こうですか」

「何時でもそうだ…」

こう言って、爺もその楼上を仰いで見たが、そのまま向うの方へと歩いて行った。

かれは本堂から町の通に出る間を歩きながら、此の本尊が七八百年の長い年月をこうして此処に鎮座していることを頭に繰返した。私の父母も、祖父母も、皆な此処にお詣りに来た。駕籠に乗ったり、ちょん髷に結ったり、長刀を挟んだりして…。かれはまたこの本尊を勧請した歴史に名高い髪を染めて北国に戦死した健気な武士のことも頭に浮べた。無限に長い過去であった。また無限に長い将来であった。その長いライフの流れの上に、こうして一夜(ひとよ)来て泊まって黎明(しののめ)の境内を歩いているかれの姿の背景には、矢張無限の人達の悲喜と明暗と深い心理とが展(ひろ)げられているのであった。

出立―平野の寺へ―

【原文】かれはこれから南に向って五六里(ごろくり)の道を行かなければならなかった。寒い西風の吹く路(みち)を、山の雪のきらきらと輝く平野を、または大きな河に添った土手の上を……。

更に侘しいのは、この残雪の平野にすら留(とど)まることが出来ずに、刺激の多い都会に、争闘(あらそい)の多い世間に、一度足を踏込めば何(ど)うしても出ることの出来ない泥淖(でいたく)の中に、複雑した辛い心の巴渦(うず)を巻いている中に戻って行かなければならないことであった。かれはかれを待っている悲惨(ひさん)な家庭を想像した。また個の上に個を無理に築き上げようとする世間を想像した。張詰(はりつめ)た心でなくては一刻(いっこく)も押されずに生きて行くことの出来ない社会を想像した。

心の黎明(しののめ)などは遂に遂に得られそうにもなかった。かれは続いてかれを待っている平野の中の小さな停車場を想像した。そこから都会に向って動いて行く汽車を想像した。車は遂に来た。

第二段落　「脱却願望」〈回顧〉

新規蒔き直しの旅

【梗概】　哲太は四五年前からあちこち旅に出かけた。かれは落ち付いて家庭と世間とに雑って いることが出来なかった。かれは静かに考えるところを山の隅、海の畔にもとめた。

哲太は家庭や世間からの束縛から自身を解き放ち、自己脱却を図ろうと彷徨していたのである。

ある時は、北海の怒涛の音を旅館の一間で聞きながら荒海を眺めていたり、またある時は、雪の深く降り積もった山村で移住者の家族の悲惨な生活を間近に見た。それでもこうして救いを求めながら寂しい旅を続ける自分よりは幸福に思えるのであった。

哲太はいたる所で、新規蒔き直しをする機会を求め、ある時は機織業者の工場を見せてもらって事業内容を聞いたり、ある時は寒天製造の現場を見せてもらったりした。ある果物栽培者は成果を上げ収入を得て、自然の中で世間と離れた生活をしていた。

山奥の温泉場に一月以上もの間滞在していた時には、その温泉宿の一軒についての株や値打ちなどについて訊いたりして、そこの主人になろうと思ったりもした。しかし、かつて一度は盲目的に世間に向かって突進していった、デカダンの群れの一人として世間から注目された彼であり、それが空想に過ぎないことは、自分でわかってもいた。また荒涼とした北海道や樺太に住む人達の生活を頭に描いた。自然のままな深林、それを開墾して一生を終るのも悪くないと想像を膨らませた。開墾の経験がある友達は彼の空想を戒(いまし)めるように、「しかし、どこに行ったって同じですよ。矢張(やは)り同じ人間の生活があるばかりですよ。矢張り、男女関係と物質とですよ」と言った。

生活のための生活、それ以上には新しい意義ある生活は何処にも見出すことはできなかった。

山の別荘と青年達

【梗概】　哲太は山の別荘に十日ほどいた。かれ一人山の中にいるのに同情して、降りしきる秋雨(あきさめ)の山路をわざわざ訪ねて来る村の青年達もあった。別荘の留守の番人の爺(じい)さんがいつも一人でいたのが、今度は嬶(かかあ)とも茶飲み友達ともつかない婆さんが一緒に仲睦(なかむつ)まじく寝泊まりしていた話を哲太は笑いながら山の青年達に言った。

青年達は棺桶(かんおけ)に片足突っ込んだような爺さんと婆さんが、「冗談ずら?」と…可笑(おか)しいような不思議なような顔をした。しかし、哲太は老婆の白い腕と細い指とを見逃すことが出来なかった。

Rという青年は赤手(せきしゅ)で危険な世界に入って行くような男であった。村の銀行に勤めていたが片時も町の賑やかな灯りと三味線とそののぞめき（遊郭や祭りなどの、浮かれ騒ぐ状態）から心を離すことが出来なかった。Rの友達で、SやNという青年もいた。Sは山村の農夫として働いている勤勉な青年であり、Nも山にいて父母の後を継ぐ好青年であった。二人とも物を書いたり歌を詠(よ)んだりする文学青

年であったが、Rだけが山にじっとしていられない質であった。Rは色町に沈面していたが、村の有力者が買い占めて持っている朝鮮の農場を経営するため、朝鮮に渡ることを決意した。故郷も、家も、父母も、姉妹も、付き合っていた女も、何もかも捨てて、山を飛び出して行こうとしていた。「好いな、俺も行くかな。何もかも捨てて…」哲太は自分自身がRになったかのような深い感激を覚えた。「新規蒔き直し」を…。しかし、哲太はRのように一刀両断の快挙に出るには、余りにも複雑な絆と束縛とに自らを縛り過ぎていた。

東北の開墾農家

【梗概】 或る初冬の寒い日の午後、哲太は荒漠とした東北の広い野の道の上に現われた。あたりには草薮と林が広がり、縦横に川が流れていた。かれは一里ほど離れているさびしい小さな停車場から歩いて来た。そこにはかれの遠い親類に当る六十五、六になる主の老人が、二十五年も前からこの原野に移住して、あたりの開墾に従事していた。哲太は、人間の生活方法として一番自然且つ意味がある生活と信ずる農業には深い関心を寄せた。この主翁の家は見るからに貧しそうであった。彼の目にがらんとした農家の内部が映った。暗い台所には俵や叺が二三俵転がしてあるばかりで、他には冬の燃料しか積んでいなかった。この主翁には妻と三人の息子がいたが、末の子のSが残っているばかりで、そのSも東京に出たがっているとい

うことであった。

長男は東京で生活しているが、行く先の目的がまだ立っておらず、妻に死なれ、可哀想なので、その子供を預かっていた。また、主翁にはこちらに居住してきてから出来た十三歳になる女の子がいた。

次男は兄弟中で学問が一番よく出来て、ある外国語の学校を苦学して卒業し、それからN社の社会主義的傾向に共鳴して、随分過激な議論を吐いて、MSという彼の名は知られるようになった。過激思想の主張者として当局から睨(にら)まれるようになっていた。T事件*前後には、本国にいることが出来なくなりアメリカに行ってしまった。哲太は主翁に開墾の実情を知るために現地を案内してほしいと頼んだ。荒涼とした山林や畑を眺めながら、主翁から、開墾の大変さや思うように収入もあげられない厳しい現実を聞かされた。夫婦二人で、身を粉(こ)にして開墾してきたが、荒れた土地で作物も思うようには出来ない。

「それでも馬鈴薯(ジャガタラ)だけはよく出来た。今年は馬鈴薯でも食って、冬を暮すじゃ。」

こう言って、主翁はあははと笑って見せた。しかし、現実の生活は厳しく、末っ子のSは都会にあこがれ、哲太にその思いを訴える。

翌朝、主翁夫妻に別れを告げると、二人とも寂しさは隠せない。末っ子のSに送られ、哲太は停車場までやってきた。やがて改札口が開かれて、汽車の窓から見た時には、荒野の方へと帰って行くSのさびしい後姿が見えた。ここでも自分の甘さを痛感させられることになる。

＊T事件…大逆事件。幸徳秋水らが天皇暗殺を企てたという罪で死罪になった。

「号外」とグループ

【梗概】哲太は、あらゆるものから味わった幻滅、どうにもならない内部の葛藤（かっとう）などからデカダンな生活に流された。そして、酒と女のもとへと走った。

ある日、「号外！号外！」*其処（そこ）でも此処（ここ）でも、そうした呼び声が高く聞こえた。電車の中に、哲太ら、グループの姿があった。P、K、N、R、Sらであった。

「だって、これが泣かずにいられ…る…か。魂を…魂を失って…」Kは泣いた。

明るい電車の中でグループの面々は、したたか酒に酔い、坐りながら、あるいは吊革（つりかわ）にぶら下がって、車中の視線も気にせずに絶叫（ぜっきょう）し、舌をもつれさせながら大きな声で叫びあっていた。

Sは興奮しながらも何処か真面目な表情をして腰をかけていた。

哲太は悲しい人生の縮図を目の前に突き付けられたような気がした。電車は、かれらの破壊された魂を運んで世界の果てまで行くような気がした。

*号外…明治天皇崩御を知らせる号外。

遊蕩への逃避

【梗概】哲太は遊蕩（ゆうとう）に耽（ふけ）っていった。芸妓（げいぎ）の気持ちを玩具（おもちゃ）の如く弄（もてあそ）び、「あれを呼べ」、「これを呼べ」、「あれは駄目だ」、「これがいい」とわがまま放題であった。

「なアに、構うもんか。これも人間のやることだ」こう思って酒に、女に、深みにはまって行くのであった。＊Durtal の心の歴史を書いた小説を哲太は繰返し読んだ。酒に、遊蕩に、自暴自棄に入って行ったかれの心が次第に一つの女の心に向って動いて行った。哲太は、その底深くに沈んでいる真珠、真の魂（心）を持った女の愛を得んことを欲した。少なくともその白い輝く光に近づいて行くことを欲した。哲太の苦悶はそこから始まったのである。

＊Durtal…フランスの自然主義作家ユイスマンスの小説『途上』等の主人公の小説家の名前。

女学生

【原文】哲太の性欲の目覚めの最初の対照であった或る女学生が同居していた時分にも、だから妻は平気な無関心な態度を取って、却って第三者達から心配された。細かい心理の颶風（強く激しい風）のように捲き起こされて来た時にも、かれの妻は平気で子供と母親の愛に没頭した。

「お前、心をよくしめていないといけないよ」こう母親から小声で注意された時には、哲太かれ自身の言葉は戯談として平気で訊いていたかの女も、そうしたことがこの世間に沢山あるのかと思って眼を睜った。T事件前後には、それでもかれの妻は心配した。

ＭＳが往来したり、Ｏが牢獄に繋がれたりしたので、もし哲太の身にもそんなことがあったらと

思って、一家離散の光景を取り留めなく頭に浮かべたりした。

「馬鹿を言え、そういう思想に似た思想を持っていたからとて、何もわるいことをしない奴がドシドシ牢に打込(ぶちこ)まれて堪(たま)るものか」

こう哲太は半ば笑うように半ば叫ぶようにして言った。

妻の母の死

【梗概】　哲太はDurtal(デュルタル)のような孤独を痛感して、旅から旅へと歩くようになっていた。哲太は懊悩(おうのう)した。さりとて、デカダンな生活に身を崩すこともならず、思い切った驀進(ばくしん)も出来ず、好(い)い加減な妥協も出来ずに、辛い艱難(かんなん)の日々を旅に送っていた。一方、妻の英子(ふさこ)の身に悲しい出来事があった。母親は勝手元(かってもと)で俎板(まないた)で大根を切りながら、「苦しい…」と言って卒倒(そっとう)し、五、六日後にあっけなく亡くなってしまった。日常の些細(ささい)なことから、子供たちの世話に関することなど、何くれとなく相談相手にした母親が、突然いなくなってしまったのである。

母親の死に由(よ)って、母に依存していた生活から妻英子は目覚め、次第に自立していく。それまでの英子にはわからなかった哲太のこと、かれがかつてはデカダンで、エゴイストで、ドン・ヂャンの如き浮気者であることも見えてきた。そして、哲太のかげにかくれたその小柄な眼のはっきりした女の姿が浮かび上がってきた。

哲太がいかにその女に捉えられているか。英子の眼にかなりはっきりと映ってきた。もう昔の英子ではなかった。母親のいる中は平気で意にも留めなかったような些細なことまで今は一つ一つ頭に蘇生して動いて来ていた。英子は自分の城壁を信じた家庭に、いつの間にかいろいろな形になって、その女の入り込んで来ているのを見逃すことが出来なかった。

真珠

【梗概】 一人の女、その女が彼をデカダンから救ったことは確かな事実であった。その女は本当の魂を失っていない女であった。幸いなことには、花街に生きる彼女ではあったが、そうした社会に多く見られるようなデカダンではなかった。底にある美しく輝く真珠を持っていた。その底の真珠が哲太をデカダンから救った。自暴自棄から救った。無意味な生存から救った。平凡な家庭から救った。しかしその女の持ったものが真珠であったがために、微温いデカダンではなかったために、彼は一層辛い苦痛を嘗めなければならなかった。

家庭からの脱却

【梗概】 勝手でも何でも為方がない。俺は世間の為に生きているのではない。また、お前や子供達のために生きているのではない。お前の考えでは、世間に多く見るような善良の家庭の主人に、愛

情深い父親になって貰いさえすれば好いのだろうけれども、俺はその要求の為に、自己の自由と生命とを失うことは出来ない。そう言うと、お前達は、すぐ薄情だとか不道徳だとか言うかも知れない。世間が何と言おうが、そんなことには頓着しない。俺はこれまで家庭のためには尽して来た。お前達を不自由な目に逢わせないために、人に冷笑されるような為事もやって来た。しかし、そうして、お前達を保護しすぎたことが、お前達の不幸福になったのだ…。まごまごしていると、亭主ばかりでなく子供までとられてしまうぞと言った哲太の言葉を、英子は戯談とは思えなくなった。女が家までやって来て、末の娘を可愛がり連れて行ったことがあったのである。

英子の身近に女の影が迫って来たことを感じた。

「俺は今精神の危機に臨んでいる。新規蒔き直しをしなければならない。俺は海へでも、山へでも野へでもひとりで行く。ひとりで行って考えて見る。そして破壊すべきものは破壊しなければならない。」と、哲太は英子に言った。

哲太はDurtalのような孤独を痛感し始めていた。恋の苦悩、また、生活の面からもいろいろなものが哲太を襲って来た。

哲太はその時分、長く勤めていた会社をやめることになった。精神的にも疲れていた。

「時」の問題

【梗概】「時」がまたかれを脅かした。新しい時代がかれを脅かした。かれはかれが男女の苦痛と歓楽とに浸って漂っている間に、いつの間にか自分の時代の過ぎ去って行くのが見えてきた。常に自分の力で切り拓き、立場を築いてきたが、今は誰かが大きな手で救ってくれなければ、このまま烈しいまたは広い潮流の中に永久に流されて行ってしまうような気がした。縋るべき一握の藁すらないような気がした。

妻英子の目覚め

【梗概】英子は以前のようには泣いたり崩折れたりしてばかりはいなくなった。母を亡くした悲哀や、女に対する嫉妬や、焦燥や、そういうものばかりにこだわって悲観してはいられない、というように見えてきた。自分も女として、妻として、または母親として強く独り立ちしてみせなければならないと思ったらしかった。殊に女としての目覚めが著しく目立つようになった。

女が哲太の前にその女の独立と権利を主張していると同じように、英子もまたかれに対して、独立と権利とを主張し始めたのであった。

英子はかれが晩酌をすまして床に入ってから、三日おき位に、ソッと着物を着更えて、近所に住んでいる髪結の許に出かけた。「矢張、日本髪に結って綺麗にして置く方が好いでしょう」と皮肉に言って、いつも出かけて行くが、そうした心の姿の萌(きざ)して来たということは、単に女としてのたしなみと片付けられるであろうか。想像は想像を生んで行った。自分の所業(しょぎょう)を振り返った時、妻への疑惑が雲のように湧いて来るのであった。

S君への手紙

【梗概】哲太はパリにいるS君＊に手紙を書いた。

「君は新(あらた)に修業をするつもりでフランス行を思い立たれた。勇ましい心だ。私も万事を捨てて一緒に出かけて行きたい位の君のフランス行でした。あのHの温泉場で最後の別れを惜しんだ時、私は酔って『僕はこれから異性の研究だ』こう痩我慢(やせがまん)のように言いました。と、君は静かな落付いた例の態度で、『それは面白いね…。異性の研究、それは面白いでしょうね』こう重ねて言いました。君は自然に家庭から出て行かれた。しかし私は家庭から一人自ら出て行かなければならない放浪者でした。私は何も彼も亡(かな)くして了(しま)いました。得ようと思って却(かえ)って亡くしてしまったのでした。…云々」と書き綴った。

　S君は、哲太の苦悩を充分にわかってくれるはずの友である。巴里(ぱり)の宿所とS君の宛名を書いて、切手まで貼(は)っておいたが、書いてあることが余りにも感傷的に過ぎるような気がして、結局ポストに投函(とうかん)せず、ポケットに入れたまま、また旅をつづけるのであった。

＊S君…島崎藤村。藤村のフランス行きは花袋に大きなショックと焦燥と羨望(せんぼう)をもたらした。

第三段落「一人の女」〈回顧〉

身延山

【梗概】日蓮聖者がその晩年を修業した身延の山の路は、凄じい深い渓谷に添っていた。昼も雲霧で深く鎖された鬱蒼とした林の間を、しかも険しく、そして九十曲折になっている山路を、哲太は女と二人で徒歩で登って行った。些細なことで途中で喧嘩したかれ等は、わざと駕籠を雇わず、これから奥の院まではちょっと御無理でしょうという宿の人達の言葉にも耳をかさず、お互い腹立ちまぎれに険しい折れ曲がった路を無茶苦茶に登ったが、次第に雲や霧が深くなり、渓水の音が物凄く、本降の雨になってきた。哲太は女のために駕籠を雇って来なかったことを後悔し、女は女で、我儘を通したことを心の中で悔いた。女は着物の袖を後ろに結び、腰巻を高く絡げ、曽てはいたことのない草鞋を足袋の上に着けた。かれ等はもう喧嘩をしてはいられなかった。見かねて、哲太は草鞋の紐を結んでやった。その荒山の凄じい風雨に曝されて、女は半ば昂奮し、半ば戦慄し、足が止まったり、喘ぎつつ登ったりするのを見て、哲太は真剣にならずにはいられなかった。

大きな蛇がかの女の行手を遮った時には、かの女は真青になって、キャッと思わず後に飛びさがった。哲太はいよいよ女の身が心配になって来た。

思うに、人間はこうした艱難に際した時に、初めて手を仏の前に合せる心になるのだろう。かれ等の苦しい恋もそれに似てはいないか。題目の音が愈々間近くなったと思った時、かれ等は夜霧の中に御堂の屋根があらわれて来るのを見た。哲太も女もほっとした。

山寺の囲炉裏で冷え切った体を暖めさせてもらい一息ついた。ここで一夜を過ごすことが出来るかも知れないと思ってきたが、泊まれないとわかり、ゆっくりしてはいられず、急ぎ下山することになった。幸いなことに運よく山を下るという僧がいて、二人は一緒に連れていってもらうことになった。そうして、お経を上げてもらうため奥の院へと行った。

僧の読経を聞きながら、女はうつむき加減に殊勝げに合掌し端座していた。その様は薄暗い蝋燭の灯の中に古代の絵でも見るように浮き出して見えた。哲太は女の合掌祈念している姿に凝と見入り、女の胸の中にある過去の波乱の生活、苦悩、懺悔を想った。自分の愛する女をここまで連れて来て、仏の前に、女の真の魂をもって合掌祈念させられたことに満足した。この満足は真実の恋であると言えないか。これこそ不動不壊（動くことも壊れることもないこと）な永久な恋に達する萌芽であろうと思った。

再び山の別荘へ

【梗概】哲太は再び山の別荘にやって来て、孤棲の半年を過ごした。行き着くべき途中の大駅に人生の重荷をおろして、思索をめぐらした。愛と憎、生と死、染着、勝敗、そしてこれらを超越した心理等について

深く考えた。この山の半年はかれの一生の絵巻の中に際立ってはっきりと表れているシーンとなった。

女の入水(じゅすい)

【梗概】それは冬のある寒い夜のことであった。哲太が旅から帰り疲れて寝ていると、突然廊下に足音が聞こえて、書斎の電気がぱっとついた。妻の英子(ふさこ)が障子を開けて部屋に入って来た。英子は一通の手紙を差し出した。そして、迎えの車が来ていると言う。哲太は、こんな夜更けに何事かと驚いた。何か変事(へんじ)があった様子である。

車に乗って病院に駆けつけると、女の両親が待っていた。女が入水自殺を図ったというのである。哲太は暫(しばら)く女に会わずにいた。女は、そんな哲太の心を理解しかねた。哲太には、家に帰れば妻も、子らもいる。一家の主(あるじ)の哲太に比べ、自分は儚(はかな)い浮き草の身の芸妓(げいぎ)であるから…と女は嘆き、哲太としばしば口論にもなった。それゆえに、他の客と次第に深い仲になっていったのも詮方(せんかた)ないことであった。

哲太はそのことを聞いていて、女が真実の恋の道に進んでいくのならば、それを妨(さまた)げまいと考えた。しかし、女にはその男との間に恋敵の女がいて、ついには、裏切られた悔しさから、その相手の女の家に乗り込んで行って啖呵(たんか)をきり、逆上の末、ハンカチで巻いた剃刀(かみそり)でその恋敵(こいがたき)に切りかかったというのである。しかし、目的は果たせず、カッとして夢中で裸足のままその家を飛び出し

て大川に飛び込んだということであった。幸い、一命を取り留めた。

哲太は、女のそうせざるを得なかった衝動と心の苦しみに憐れみの念を抱いた。

女は捗々しく回復しなかったが、それでもその翌年の春過ぎ、花の散った頃には、ひとりで起きて、縁側で髪を梳いたりするようになった。

「今度のことでは、私が負けたんですけど、私が馬鹿を見たんですけれども、本当は私が負けたんだか何だかわかりませんね。だってそうじゃありませんか、真剣だったことは私の方が真剣だったんですから…。私には何も悔やむことはありませんもの。そうじゃないでしょうか？」

こう言ってかれの顔を見た。

「そうだ…確かにそうだ。そこまで考えて来なければいけない」

こう哲太は喜ばしそうに言った。かの女は勝敗の原理、更にその勝敗を超越した物を掴もうとしているのであった。世間に対する虚栄や他人に対する妥協に多くの価値を置かなくなるだろう。何ういう心がこれからのかの女に起ってくるかは、哲太自身、将来の心の変化や進展がわからないと同じように、予測できなかった。

哲太は此処に来て人間が次第に個から全になって行く形を思わずにはいられなかった。また無明から次第に救われて行くように思われた。

「大きな生命だ…大きな力だ…大きな法だ…」

こうかれは、新しい歓喜の溢(あふ)るるばかり胸に漲(みなぎ)って来るのを覚えた。女のこれからに、どれだけの挫折やためらいがあるかも知らないけれど、こうした気持ちに進展があることを願わずにはいられなかった。

第四段落「平野の寺へ」〈現在〉

Oという僧

【原文】平野の寺に住んでいるOという僧は、哲太が少年時代から心を合わせて来た友達だけに思想上にも、生活上にも、または女にも酒にも話の合わないことのないほどの親しい間柄で、哲太と女の関係をも深く知って居れば、女も哲太と一緒に其寺(そのてら)に行って泊まったりしたことのあるほどのなかであるが、また哲太が世間に苦しんだ時には、いつも自由と温情とを以(もっ)て彼を迎えて呉れる唯一の幽棲(ゆうせい)とも言うべき処(ところ)であったが、此頃(このごろ)、彼はまた其処(そこ)に度々(たびたび)出かけて行くようになった。

一切蔵経

【梗概】 今まで一度も聞いたことがなかったが、Oの寺の二階に＊一切蔵経があるという。

「二階って、あの空屋のようになった塵埃の中にかえ?」

「ちゃんと本箱に入っているんだが、大部のもんだからね。それでも毎年一度ずつは出して虫干をすることになっているんだけれど」

「君の寺にあるなら、始終、此方に来て読みたいと思うね」と哲太が言うと、「それはわけはない。かなり好い蔵経だよ。今じゃ中々あれだけのものを持っている寺はたんとはないね」とOが言う。庫裏の一隅にある古い階級、それは何年にも登ったことのないような塵埃だらけの階級、Oは草履を持って来てくれた。立派な床柱、床の間や、煤けながらも木目の立派な天井板などに目を留めて、「しかし立派な室だね、手を入れりゃ大した一間になるね」其処に一杯に置いてある蔵経を見上げた。

「随分大変あるもんだね」

「兎に角、この室が十畳だが、こうして一杯あるんだからな…。ちょっと手がつけられないよ。虫干をするんだって、人を頼んで十日はかかるからね。一遍ざっと眼を通すだけでも三年と何カ月かかるっていう話だから…」

「全部読んだ人など滅多にいないわけだね」

「それに、各宗とも、宗旨に由って、重立った経文がきまっ

ていて、それを読めばまア僧侶として間に合って行くからね。それに学校などでも、経文よりも義疏とか註釈とか言うものに重きを置いて、多くは其方の方で研究するからね」

「そうだろうね。成ほどこれでは皆な読むものはない訳だ」

哲太はこの沢山な本が、人生の苦痛、艱難乃至は懊悩、解脱の一々の記録であるということを考えずにはいられなかった。そこにはあらゆる人間の心理の状態、苦難の状態、生活の状態が皆なあるのである。

＊一切蔵経…「一切経」、「大蔵経」とも言う。経典及び註釈書、僧が守るべき規律などが書かれた仏典など、仏教典籍の総集。

僕の僧房

【原文】住職のＯがやって来て、「読んでいるね、何うだえ?ちっとは面白いかえ」

「面白いね」こう頭を上げて、感激したようにして哲太は言った。

「註釈のあるほうがわかり好くはないかな」

「いや、これで好い…この方が好い。僕は僕だけの考えでこれを読んで見ようと思うから…僕の読み方は或は間違うかも知れない。また或は浅膚なものになるかも知れない。僕は僕だけの考えで、僕の経験と知識とそれに由って起って来た心理とで読んで見るつもりだ。僕は学問をしようとか、研究しようとかいう心でなしに、自分の苦難を、自分の一生の事実をその中に発見する考えで読んで見る……」

「それは面白い。それが本当だ…」

「君も知っている通り、僕は昔から比較的正直に生きて来た。誠実を失わずにやって来た。言わば丸裸で刀槍の林立する中を通って来た。現に、女の欺騙に逢って苦しんだ時などには『惚れたものにそういう眼に逢わせるのは赤児の手を捻じるようなものだ……』と痛感して言ったことがあったが、その誠実が、正直が僕の魂を生かしてくれたのだ。その心が即ち法身なんだ。不動不壊なのだ。」

「面白い…そこだね、本当の信ずる力ということは…」

哲太は、薄暗いその一間を「僕の僧房」と呼び、ここで経文に向き合うことにしたのである。

心の浄化

【原文】愈々一度都会に帰って来なければならないという日には、下に下りて来て、長い間Oと話した。かれは此の間から、その二階や薄暗い一間を「僕の僧房」と呼んでいたが、「それじゃまた近い中にやって来るから、成たけ僕の僧房はそっととして置いて呉れ給え。経文は大抵は蔵ってちゃんとして置いたけれど、種々なものは残して行くから」

「好いとも…。誰も二階になんか上がって行きゃしないよ」

かれの心は輝きと光明と安楽とに満たされた。（略）かれは残雪の野をさまよった頃の悲惨なかれの姿を想像した。

「しかし…」とかれは思った。

「あの山蔭にある小さな温泉場、そこから停車場の方へと出て来る路、そこに林の中に縦横に横たわった墓、つづいて田舎町の饂飩屋で見た老いた百姓の大きな手、それらがかれにこういう境に入って行く最初の暗示を与えたのだ。そこから心が次第に日に面して行ったのだ。大きな扉の入口であったのだ。」

かれはこう思って、続いて起こって来たさまざまの光景を繰返して頭に描いた。午後になってから、かれはO夫婦に暇を告げて、菜の霜に萎れた畑と、背の低い要の四目垣との傍を通って、鐘楼のところから静かに山門の方へと出て来た。さびしいしかし春を予想した冬の野が広くかれの前に展けた。

(完)

※　**作中人物のモデル**　＊宮内俊介「田山花袋全小説解題」参照、( )内はモデル名

杉山哲太(田山花袋)、妻・英子(花袋の妻・里さ)、総領の娘(礼)、多喜子(整子)、お貞(てつ)、哲太の兄(実弥登)、兄嫁(とみ)、妻・英子の母親(とら)、英子の兄(伊藤四郎)、チブスで亡くなった友人(不明)、妻お房(不明)、山荘の青年R(涼風 小林貞吉)、N(煙浪 名取健郎)、S(草村 小林俊雄)、H(不明)、遠い親類の主翁、妻お清、長男・作、次男・MS、三男・S、末の女児(いずれも不明)、芸妓・小勝(不明)、

或る女学生（岡田美知代）、一人の女・芸妓N（飯田代子）、母（飯田きん）、父（飯田吉五郎）、電車の中のP（不明）、K（国木田独歩）、N（不明）、R（不明）、S（島崎藤村）、平野の寺のOという僧（太田玉茗）

左の写真は、埼玉県立さいたま文学館所蔵の「春陽堂」から発行された初版の『残雪』（大正七年四月二十五日発行）である。

単行本は手に入りにくい（古書で購入できても一般的に高価である）ので、各地の図書館で筑摩書房、新潮社はじめ各出版社の文学全集に所収されている『残雪』を借りて読むのがお奨めである。ただし、全集には名取春仙の挿絵は入っていない。単行本を読んでみたいという方は国立国会図書館デジタルコレクションを利用するのもよいと思う。

単行本の表紙は「田山花袋」の名であるが、奥付（おくづけ）の名前は本名の「田山緑彌（ろくや）」になっている。「定價金壹圓四拾錢」であった。

第二章　『残雪』（補説）

1　妻沼への旅――妻沼聖天山と割烹旅館「千代桝」――

田山花袋が、『残雪』の舞台となる妻沼町を訪れたのは、大正四年（一九一五）一月十七日のことである。妻沼の割烹（かっぽう）旅館「千代桝」に宿泊をし、妻沼聖天山（めぬましょうでんざん）を参詣していることが、小林一郎氏代表編著の「定本花袋全集 別巻」（臨川書店）の年譜の中に記述されている。

ただし、この年譜の編者である小林一郎氏の著書「田山花袋研究―『危機意識』克服の時代(一)―」の中に、「大正四年三月の小旅行を土台にしたものであるから、『残雪』というのは、この時の旅で見たものからつけられたものである。」とあり、同じ小林一郎氏が妻沼への小旅行が「三月」であることを記している。

一月か、三月か、どちらが本当なのか。

筆者としてはこの矛盾を解明したいと考え、あれこれ推量してみた。「一月」については他の文献（大正四年四月「新潮」に掲載の「残雪」と題した短歌十一首）の期日と合わせ見れば実際妻沼に来たことは明らかである。しかし、「三月」の根拠がみつからず、釈然としないままに、花袋は『残雪』の構想を具体的に練るために、もう一度三月に妻沼を訪れたのだろうかと考えたりした。三月であれば残雪の季節にふさわしく、小説『残雪』のタイトルにも合致する。

花袋は取材をいつもかなり念入りに行っており、『田舎教師』、『一兵卒の銃殺』などの執筆にあたっても、現地を何度も訪れているので、こう考えてもおかしくないところである。

ところが、館林市教育委員会文化振興課の阿部弥生文化財係長より、昭和六十一年に田山家から花袋の日記や書簡等多くの資料が「田山花袋記念館」（平成十四年から「田山花袋記念文学館」と改称）の開館にあたって寄贈され、この資料が出て来たことで研究が進んで、それまで不明であったことも解明され漸次（ぜんじ）訂正されてきたという経緯についてご教示いただいた。

「田山花袋記念館研究紀要」第2号の中に長谷川吉弘氏の「花袋『不惑』時代の羽生行と作品―明治四十四年～大正六年の日記から―」と題した論述があり、大正四年の花袋の日記が原文（漢文体）で紹介されていた。その日記を見ると一月の妻沼行の記述はあったが、三月の妻沼行の記述はなかった。つまり、「定本花袋全集 別巻」の年譜のほうは、平成六年～九年に「定本花袋全集」が復刻された時に訂正されたが、小林一郎著「田山花袋研究」のほうの記述については訂正がされないままであったようである。一度出版されると、再版でもされない限り訂正は難しい。このような事情により生じた齟齬（そご）であることがわかった。

さらに花袋は、「武州妻沼聖天山本社」の絵葉書に短歌一首を書いて一月十七日付で前田晁氏に宛てて葉書を出していることも判明した。十七日付だから妻沼町から投函していたのである。

これについては、「田山花袋記念文学館紀要」第14号（二〇〇一）の中で、宇田川昭子氏が「田山花袋の書簡―前田晁氏宛―」と題して記述している。

その短歌とは、「ひもかはをやぢはのぞみ子供等はほそきうどんを食はんとぞいふ」というものであり、『残雪』の冒頭部分で、主人公が中食（ちゅうじき）を取るために入った「饂飩屋（うどんや）」の中の情景である。

『残雪』の主人公は、花袋が大正四年一月におこなった小旅行の行程に沿って妻沼へとやって来る。

実際、この時は雪が降ったあとのようであった。花袋は、一月十四日に、生涯の友であり義兄でもあった太田玉茗(ぎょくめい)のいる羽生の建福寺(けんぷくじ)を訪れて二泊し、十六日、新田郡強戸村(ごうどむら)（現 群馬県太田市西長岡町）の西長岡鉱泉「長生館」（昭和三十二年焼失）に出かけた。「長生館」に一泊した後、十七日に太田の呑(どん)龍(りゅう)様の前から馬車に乗り、残雪の野を見ながら利根川の畔(ほとり)までやって来た。

赤城山や日光連山の雪化粧をした山容の美しさに感動しつつ、一人利根川の舟橋を歩いて渡り、妻沼聖天山まで来たのである。そして、聖天山境内にある割烹(かっぽう)旅館「千代桝」に宿泊した。『残雪』の主人公は、その夜、町の名士達のドンチャン騒ぎを聞きながら、自身のデカダンな生活のあれこれを回顧する。翌朝早く目が覚めると、起きて旅舎から寺の境内へと出て行った。

「冷めたい朝の空気は刺すようにかれの肌に染(し)み通った。かれは林間を透(とお)して来る黎明(しののめ)の光を眺めながら、静かに、御堂(みどう)の方へと行った。そこには仁王尊の彫像(ちょうぞう)のある中門(ちゅうもん)があったが、奥の本堂では、蝋燭(ろうそく)の火が残った夜の薄暗い影を照して、静かな朝の読経(どきょう)の声があたりを深く壮厳(そうごん)（ママ）にした。」と『残雪』に書かれている。

筆者が歓喜院の鈴木英全院主にこの読経のことをお聞きしたら、「大正時代のことははっきりわかりませんが、昔から毎月一日、十五日、十八日には朝参り読経会を行っているんですよ。」とのことであった。その他、元旦から七日までと、春秋のお彼岸にも読経会はおこなわれており、冬は朝五時から、夏は四時半からとのことで、「かなり遠方からも見えておりますよ」と院主は仰っていた。

院主のお話をお聞きし、主人公が荘厳な気持ちになったという読経はこの読経会のことであったかと納得できた。すると、花袋が「千代桝」に宿泊したのが一月十七日であるから、翌朝が十八日、境内には荘厳な読経の声が響き渡っていたということになる。

それから、宿に戻り、朝食をとってしばし寛(くつろ)ぎ、車（人力車）を雇って「千代桝」を後にし、太田玉茗が待つ羽生の建福寺へと帰って行ったのである。

紀行文「関東平野の雪」の中にその様子が詳細に記述されている。羽生、西長岡温泉、太田、妻沼を廻ったこの小旅行が、『残雪』のプロローグとして構成されているとともに、この小説の中に流れる「主題」を暗示している。田山花袋、四十三歳のときである。

妻沼行きの馬車と中食宿

『残雪』の主人公杉山哲太が馬車の出発を待つ間、中食(ちゅうじき)をとるために、饂飩(うどん)屋に入った場面について、紀行文「関東平野の雪」の中では、「私は呑龍(どんりゅう)の門前で、妻沼行の馬車を訊(き)いた。『そうですか、それなら、ちょっと前で中食をしていらっしゃい。待っていますから。』馬車宿の主人らしい、肥(ふと)った、ぞろりと絹物などを着た四十男が前を指さして教えてくれたので、私はそこに入って行った。」とある。

これにより、『残雪』の冒頭に「町の四角(よつかど)のところに来た。其処(そこ)には乗合馬車が一台待っていた。」とあるが、この馬車の停留所が太田の呑龍様(どんりゅうさま)（現 群馬県太田市）の門前であったことがわかる。

呑龍様は、「子育て呑龍」として広く知られている。新田義重(にったよししげ)公の菩提(ぼだい)を弔(とむら)うために建立(こんりゅう)され、正式には「義重山大光院新田寺(ぎじゅうざんたいこういんにったじ)」という浄土宗のお寺である。妻沼聖天山とも対比され、縁がある。

主人公 杉山哲太（花袋がモデル）がお昼を食べに入った饂飩屋は呑龍様の門前にあった店であろう。二人の子供を連れた農夫が店に入って来たことは実際のことである。

饂飩屋の中で、哲太がこれまでいろいろと艱難辛苦してきた過程を回顧する場面があるが、これは、当時の花袋の心中にいつも渦まいていた懊悩が暗に表白されたものである。

文学上の苦悩、愛欲の苦悩、これらからの脱却を図るために、世間（文壇）や家庭と距離を置いて、一人であちこちへ新規蒔き直しの旅をして来た。この後、哲太の心境や思索が綿々と語られていく回顧の場面が出て来るが、この饂飩屋でのシーンはその伏線になっている。

「かれは四五年前からあちこちの旅へと出かけた。かれは落ち付いて家庭と世間とに雑っていることができなかった。」（『残雪』）とあり、哲太のおかれた状況や心境が次第に見えてくる。

「農夫の皺だらけの手」がクローズアップされているが、これは、長年苦労して働いてきた「手」、艱難を経て来た「手」として、主人公の心を捉える。「平野の寺」の最後の場面においても、この「手」は再び回想されクローズアップされるのである。

K寺

K寺については、紀行文「関東平野の雪」の中には出てこない。K寺は小説上の虚構であって、実際に存在した寺ではない。『残雪』の中ではK寺の場所について次のように書かれている。

「利根川の少し手前で、馬車を見捨てた哲太は、一番先に、街道の角のところにある小さな店で煙草を買った。そして其処の上さんにある寺の所在を訊いた。『もう一二町、行ったところから右に曲るんです。少し行くと、森が見えますから、じきわかります。』こう上さんは教えてくれた。『まだ、余程ありますか』『なアに、四五町位なもんでさ』」（『残雪』）

一町は約百メートル、この文章から地理的に見ると、群馬県太田市の古戸あたりであろうか。『残雪』の文中に「酒を禁じた石の立っているのを眼にした」とあり、K寺は禅寺であることがわかる。

哲太は友人の妻であったお房という女性と、友人がチブスで亡くなった後、深い関係に陥ったのであったが、女はやがて哲太のもとを離れ、何処かに姿を消した。風の便りに、K寺の住職の後妻になって一年前まで住んでいたことを知り、訪ねたのである。住職が二年前に死んだことも知っていた。過去を訪ねて自分の心にまた一つ廃墟をつくろうとしたのである。

K寺は、大田玉茗が住職になったばかりの頃の荒廃していた時期の建福寺を想わせる（『残雪』にそんな場面が出てくる）が、K寺は場所も異なり建福寺ではない。建福寺を模した虚構の寺である。建福寺は『残雪』の終わりの方で「平野の寺」として登場し、小説の中で重要な位置を占めている。

舟橋（船橋）の風景（舟橋、船橋と表記が異なるが、特に差異はなく、出典に準拠して使用）

昔から、古戸渡（現 群馬県太田市）と長井渡（現 埼玉県熊谷市妻沼）とは、利根川を挟んで相対しており、上州と武州の出入り口であり、七世紀頃から東山道武蔵路という古道があった。そんな古い時代からの交通の要所であった。

妻沼 利根川舟橋〔国書刊行会提供〕

明治十六年七月二十八日に高崎線上野～熊谷間の鉄道が開通して、物流や人の往来が増加すると、これまでの渡し船では間に合わなくなった。そこで、明治十七年、船橋の架設が建議された。この船橋架設工事については「熊谷市史 資料編8 近代・現代3 妻沼地域編」に、架設に係る許認可、架橋仕様、費用等の貴重な記録文書が掲載されている。

船橋は、二十艘の船を浮かべて繋ぎ、その上に板を渡した常設橋である。これにより渡河はずいぶんと便利になった。

船橋は水が出た時には撤去もでき、また撤去した船を利用することもできたのである。

前述の「熊谷市史」によれば、明治十七年（一八八四）の「架橋仕様書経費償却予算書願書」の中に『船橋賃銭表』が出ており、男女一人（手荷物含む）一銭、但し五歳未満の子供は無賃、人力車・荷車各一輛三銭、牛馬一頭三銭、牛馬車一輛四銭、駕篭一挺四銭等と出ている。乗合馬車については記載がなく、さすがに船橋を渡るには重すぎて通行禁止されていたのであろう。

太田～妻沼を結ぶ利根川船橋は大正十一年まで使用されたが、その後は、全長六九一メートル、幅四．五メートルの木製の常設橋が架けられ、昭和八年まで利用された。そして、昭和八年に鉄製の橋に架け替えられ「刀水橋」と命名された。現在の「刀水橋」は、通勤者の自動車利用や、大型トラック等の交通量が増加するなど、交通事情の変化もあり、昭和四十六年に新たに架け替えられたものである。

花袋が利根川の舟橋を渡ったのは大正四年である。この頃には鉄道も全国に拡充され、乗合バスも走り始めるようになっていた。仕事を奪われかねない馬車の馭者がバスの前をわざとノロノロ走って道を塞ぎ、嫌がらせをしたという話が伝わっている。舟橋は次第に姿を消しつつあった。

それだけに花袋にとっては懐かしい光景に思われたのであろう。舟橋を渡る場面は『残雪』の中においては、ほんの一シーンに過ぎないが、一幅の絵画のようであり、花袋もこの光景を印象にとどめている。

「舟橋―なつかしい舟橋を私は一歩一歩渡って行った。誰も渡って行くものがない。私より他には誰もいない。水には冬の冴えた光線がキラキラと光る。私は一歩歩いては振返り、又一歩歩いては振返った。何という美しい山の雪だったろう。日光群山が殆ど手に取るように見える。中禅寺湖のあるところなどもそれと指さされる。大真名子と女峰との間にある富士見越の凹所もはっきりと見える。『妻沼は川向うだで、此処で下りて下せい。』こう言われて、太田から乗って来た馬車を下りた私は、ひろい川原の真白い残雪の中に紺青色した川が一筋鮮やかに流れて居るのを見た。川上には、河川工事の浚渫船から黒い煙がもくもくと群り立っていた。」

紀行文「関東平野の雪」の中でこのように記述されており、船橋が花袋の心をいかに捉(とら)えているかがわかる。

余談 高浜虚子一行、舟橋を渡る

妻沼の舟橋については、高浜虚子ら一行が、群馬側から妻沼方面に渡って来た時の記録が残されている。高浜虚子といえば正岡子規に師事し、子規と共に近代俳句の礎(いしずえ)を築いた巨匠(きょしょう)である。

大正六年六月号の俳句雑誌「ホトトギス」に、馬車の中の様子や舟橋を渡る様子が面白おかしく詳細に記述されている。挿絵(さしえ)もあり、貴重な記録である。

利根川船橋 挿画
〔さいたま文学館提供「ホトトギス」（大6）より〕

花袋は、一人で黒マントを羽織(はお)り、残雪の野や山を見ながら妻沼に来たが、虚子ら一行は、賑やかに酒を飲みながら、わいわいはしゃぎながらの道中であった。しかし、その行程や馬車に乗り、利根川の舟橋を歩いて渡って来たところは共通している。

大正四年四月の「新潮」に「残雪」と題して短歌十一首が掲載されていることや、同じく大正四年四月発行の雑誌「ホトトギス」（高浜虚子が編集）に、花袋の『野の道』

という小説が掲載されていることからも、虚子は、花袋が羽生、西長岡温泉、太田、妻沼へと旅をしたことを知っていたであろう。

『野の道』は、西長岡鉱泉の「長生館」と、この頃に東武鉄道が延びて、新たに出来た藪塚駅周辺を舞台にした小説である。虚子らが、花袋の妻沼行の小旅行の行程をなぞって、吟行を計画したと考えたとしてもおかしくはない。挿絵からもわかるように、群馬側の古戸の川岸から中州までは板橋が架かっていた。馬車は中州まで来て終点となる。中州から妻沼側に行くには舟橋を歩いたのである。

挿絵には虚子を先頭に一行が舟橋を妻沼の方に向かって歩いて来る様子が描かれている。

虚子一行の後ろの中州に馬車が止まっており、その後方に板橋、さらにその後には金山の山容が描かれている。また、中州の突端にはガス灯が描かれており、時代がしのばれる。なお、この挿絵は、さいたま文学館所蔵の「ホトトギス 六月号」（大正六年一月）から転載させていただいたものである。

虚子一行は、大正六年四月二十二日、春季吟行のため、太田から妻沼に向かって馬車で利根川の河原までやって来た。館林の茂林寺、太田の呑龍様を参詣した後、一行は呑龍様の前から三台の馬車に分乗して来たのである。その様子は、馬車ごとにエピソードを交えながら詳細に記述されている。虚子と石鼎は第三の馬車に乗車していた。抜粋し、紹介しておきたい。

〈第一の馬車、『舟橋とどろ』*〉

「無休憩の急行で馬車は守屋村を駆けぬけ今利根川の堤に這い上がった処である。馬車が堤を下りざま凄い音が轟いて危なく板橋を渡るのであった。馬車の胴体が反動で橋の上で毬の様に踊ったとき皆は自分達の危ないのを忘れて後の馬車をかえり見た。『*石鼎さんどうだろう。』『大丈夫かしら。』何となく立ったり居たりして気の落ちつかない神経質の石鼎さんの顔が今しも大音を立てて板橋の上にかかった後ろの馬車の中に浮いて見える様な気がする。三台の馬車が広い河原に下りた。一同歩行することになる。銘々襟に分福茶釜の縁喜をさして利根の本流にかかっているへなへなの船橋をトドロと渡りはじめた。」

＊「舟橋とどろ」とは、人や車（人力車）が舟橋を渡る時の振動で、繋がれた舟と、舟の上に渡してある板とがぶつかり合って生じる音である。トドロトドロ……と聞こえたのであろう。

＊石鼎とは、ホトトギスを代表する俳人、原石鼎のことである。

〈第二の馬車、分福茶釜と達磨〉

「我が第二の馬車は青峰、千甕、月舟、瓜鯖、一水、鳴潮、渓雨の諸氏と自分を合せて八人。昨日茂林寺で得た分福茶釜と達磨とは馬車の天井に。平坦な道を行くので窮屈でもなかった。それでも可なり動揺した。千甕さんの頭の上では分福茶釜が浮かれだし、一水さんの頭の方では達磨先生が活動した。路傍の草は青み、暖かな風が少し吹く。点々と百姓家らしい家があり、瓦焼く家が見えた。（略）」

〈第三の馬車、虚子・石鼎が乗車〉

「私達は第三の馬車に乗った。その馬車には虚子先生と石鼎先生が乗って居られた。馬車の動揺の為に手が震えるので酒は大かたこぼれてしまった。私達の羽織といわずその溢れこぼれる酒に濡れそぼった。利根の舟橋の上はよい眺めである。赤城、榛名の山々日光の連山霞に蔽はれて横わっている。笠を伏せたような山がその前に蹲っている。それは金山である。橋を渡ると間もなく妻沼である。*聖天山の前で馬車を捨て、一行は盛んに新芽を吹いている社内へと吸い込まれて行った。参拝を終えて木の芽の吹き満ちた周囲の森を歩いた。山門前の三浦屋という料理店の表に立札がしてあって、そこが俳句会の席場になっていた。木の芽十句を作って互選した。（略）」

＊聖天山の前で馬車を捨て…利根川の舟橋は馬車では渡れない。妻沼側に別の馬車が待っていてそれに乗ったと推察される。利根川から聖天様までは歩けない距離ではないが、馬車を予約しておいたのであろう。

ここに書かれている「三浦屋」は、安政六年（一八五九）に作られた「根本山参詣路飛渡里案内」という書物の中に店の挿絵が出ており、三浦屋治兵衛の名が記されている。花袋は「三浦屋」の前を通り確認しているはずであるが、旅館は営んでいなかった。「千代桝」へと足を踏み入れたということになる。「三浦屋」は、現在は廃業して店の跡はなくなっている。「お休み処めぬま館」の田島通明氏は、昔は聖天山参道入り口の石門をくぐってすぐ右手に建物（三浦屋）がまだあって、子供の頃、その近くでよく遊んだと、現地を案内してくれた。

田島氏から見せていただいた「大日本職業別明細図（昭5東京交通社）」所収の『妻沼町』の図を見ると、聖天山の参道入口右側に「三浦屋」と記載があった。虚子らはここで昼食をとり、句会を催したのである。妻沼での句会の後、虚子一行は、聖天山の前から二台の馬車（太田から乗った車より大型であった）に分乗し、熊谷に行き、蓮生山熊谷寺を訪れ、蓮生法師逆馬の図など、お坊さんの説明を聞きながら堂内を見学した。その後、竹井耕一郎氏（旧熊谷本陣当主で初代埼玉県議会議長の竹井澹如の長男）の「池亭」（現 星溪園）を見学し、観桜の名所として世に知られるようになった熊谷堤を歩き、当時は公会堂として使われていた「桜雲閣」という大きな建物二階の四十八畳の広間で熊谷の俳人達も加わり句会が催されたと、「ホトトギス 六月号」に記述されている。

「千代桝」正面（現在）

旅舎（『残雪』の宿「千代桝」）

「千代桝」は現在も参詣客や地元の会合・宴会などで利用されている割烹料理店である。創業明治二年（一八六九）の老舗で、現在は、『残雪』に書かれているような旅舎（旅館）は営んでいない。

「千代桝」の入口左手に「残雪の家」と書かれた小さな石碑があり、聖天山に参詣に来た人や食事に訪れた人は、この「千代桝」が文豪田山花袋の名作『残雪』の宿であり、その舞台であったことを知り、目をとめたりする。

花袋の名は知られているが、『残雪』という小説を知る人は少ない。花袋が宿泊した部屋や何らかの資料（当時の写真、宿帳等）があったはずであるが、残念ながら昭和三十七年に火災に遭い、木造三階の建物は焼失してしまった。この時、貴重な資料や家財の多くを失ってしまったのである。

現当主の鈴木清一氏、美恵子さんご夫妻も「火事がなければ何か残っていたとは思うんですが…」と残念がっておられた。ただし、当時の木造三階建物の図面は残っており、見せていただいた。土蔵に保管されていたのであろう。立派な建物であった。花袋が宿泊した当時の当主、「千代桝」二代目、鈴木澄造の写真を見せていただいた。この写真は、三代目となる鈴木伝作の結婚式の記念写真である。二代目澄造は「千代桝」の板前であったが、初代卓三郎の娘の婿となり、二代目として跡を継ぐことになった。それだけに一通りでない努力をしたのだろう。澄造の時に店は大きくなったという。澄造は高名な文豪田山花袋が宿泊したことを承知していたであろう。全盛期を過ぎたとはいえ、明治・大正を代表する作家であり、しかも花袋は妻沼からそう遠くない館林の出身であった。

三代目伝作の結婚式〔「千代桝」店主 鈴木清一氏提供〕
前列左から二人目が二代店主澄造

「千代桝」は聖天山の境内にあり、かつて旅舎として宿泊の客もあり、お座敷での宴会もよく行なわれていた。妻沼町にも芸者の置屋があり、「千代桝」に宴会があると芸者たちがやって来たという。『残雪』の遊蕩（ゆうとう）の場面は主人公 杉山哲太のデカダンな生活ぶりを表現する上での意味を持っていると同時に花袋の当時の生活ぶりを暗示している。そういう意味でも、この頃の「千代桝」はお座敷での宴会もよくあったので、格好の舞台であったと思われる。

「…その騒ぎは！そのはしゃぎ様（よう）は！その唄は！その踊りは！女に戯（たわむ）れるさまの露骨（ろこつ）さは！しかしそうした遊蕩（ゆうとう）に、又そうした歓楽に、場所こそ違え、心の持方こそ異なれ、曽ては十分に浸ったことのあるかれは、それを唯無意味に煩いとか、喧しいとか、傍若無人とか言って非難する気にはなれなかった。そこにかれはかれ自身をも見出すことが出来た。」と『残雪』にあるように、「遊蕩気分の漲っている家」という設定の、そうした雰囲気に身を置くことで、主人公杉山哲太の姿が浮き出されて行く。

「庭に面した静かな一間の方をかれが選ぶと、女はじろじろとかれを見ながら、『こちらはお客があるかも知れませんから……』こう言って長い廊下を隔てた方の暗い一間をかれに当てた。」と書かれているが、実際はどうだろうか。花袋が身分を隠して宿泊したわけはないと思われるので、それなりに対応に気を使っていたであろう。わざわざ「長い廊下を隔てた方の暗い一間」に花袋を追いやることはないだろう。「千代桝」現 当主清一さんの妻 美恵子さんは、「花袋が泊ったのは母屋から離れた木造三階建ての二階だと思います。」と言い、「暗い一間」というよりも実際は良い部屋だったようである。

花袋は、それが醜悪であれ恥部であれ、事実・真実を描出する作家として知られるが、巧妙に「虚構」の技を生かしている部分が見られる。花袋が自分の書く小説を「芸術」と言っているように、描写力や虚構によって「真実」を表現する作家でもある。

「残雪の家」の石碑

この小説『残雪』は、花袋得意の「描写」を封印して、主人公に視線を向け、客観的にその心境や思索を綿々と告白していくという、これまでの花袋作品とは趣が異なる、新スタイルの小説になっている。ただし旅舎（「千代桝」）の場面に関しては人々の動きがリアルに描かれている。

冒頭の乗合馬車の発着所から妻沼町の大きな寺、その境内の旅舎の場面までは「現在シーン」であるために鮮明な描写になっているのであろう。

〈南画家 金井烏洲と縁戚に〉

「千代桝」の取材でお世話になった鈴木進氏は、妻沼地域文化財調査研究会専門調査員として地域の歴史文化財に精通されている方で、「千代桝」の本家筋にあたる。

鈴木氏と先述の田島通明氏と一緒に「千代桝」で美味しくリーズナブルな鰻の「縁結び定食」を食べながら、鈴木家の「家系図」などをテーブルに置き、縁戚になる南画家 金井烏洲（うじゅう）のことなどについてもお話を伺った。ついでながら、「縁結び定食」は、聖天様が縁結びの御利益（ごりやく）があることから名付けられた定食である。

「千代桝」初代の鈴木卓三郎は、鈴木進氏の五代前の先祖である。鈴木本家を長男の利八に譲り、卓三郎は、明治二年に聖天山境内の現在地に割烹旅館「千代桝」を創業した。そして卓三郎の娘が婿（むこ）を取り、その婿 澄造（すみぞう）が「千代桝」二代目となった。花袋が宿泊した時の経営者であった。

卓三郎のもう一人の娘は南画家（なんがか）金井烏洲（うじゅう）の甥（おい）（妹の子）の尾島金八朗に嫁ぎ、この夫婦の娘である茂屋（もや）が鈴木本家（鈴木進家）の政五郎に嫁いでいる。そして、政五郎・茂屋夫婦の次男 伝作が「千代桝」に養子に入り三代目となった。したがって、鈴木進家にも、「千代桝」家にも、金井烏洲家の血が流れていると言える。現当主 清一氏の妻である美恵子さんも鈴木進氏の姉であり、両家の縁は今も深くつながっている。

鈴木進氏は金井烏洲をはじめこの地域一帯の書家、画家に詳しく「妻沼掛軸愛好会」の会長でもあり、書家や画家についての研究、啓発に努めている。鈴木家の血縁にあたる金井烏洲（名は時敏）は上州を代表する著名な南画家で、寛政八年（一七九六）に上野国佐井郡島村（現 群馬県伊勢崎市）の豪農に生まれた。江戸に出て画を春木南湖に、詩を菊池五山に師事し実力をつけていき、文人画家として高名な谷文晁らとも交流があった。上州（現 群馬県）のみならず関東の南画壇を代表する画家であった。安政四年（一八五七）に享年六十一歳で没している。

また、烏洲の子、金井之恭も書家として知られ、各地に書や碑文を多く残している。（「金井烏洲」しの木弘明著 参照）

〈金井之恭と躑躅ヶ岡の石碑〉

明治十八年夏六月、館林 城沼南岸の躑躅ヶ岡の上に「躑躅岡公園記」の大きな石碑が建った。

小野正弘が漢文で撰文しており、書は、烏洲の子 金井之恭が書いている。篆額は三条実美の書による。碑文には躑躅ヶ岡の歴史と、躑躅の美しさや城沼の光景などが漢文体で記述されている。この頃、花袋はまだ十三歳、城沼や躑躅ヶ岡を歩いたり、眺めたりして漢詩を懸命に作っていた時期である。

田山花袋は、吉田陋軒の漢学塾で厳しく指導されており、碑文の漢文は読めたであろう。

花袋の文学の原点とも言える「城沼四時雑詠」は、「躑躅岡公園記」に刺激されたところもあったのではないだろうか。少年期の花袋の繊細な感性、観察の確かな眼、少年とは思えない漢文力が感じ

「躑躅ヶ岡公園記」石碑

取れる漢詩集である。「田山花袋研究紀要」第3号の中で平沢禎二氏が「城沼四時雑詠」について論考され、「習作的くさ味を強く感じられる作品」と述べておられるが、確かにそういう面はあるかもしれない。厳密に言えば漢詩の難しさは内容だけでなく、韻律や修辞法などにも決まりがあり、平仄等の理解がなくてはならない。しかし、そうした面を差し引いても、やはり十三、四歳の少年の作であれば出来は傑出していると思われる。

この漢詩集は、城沼周辺の四季、躑躅の美しさ等を詠んだもので、汲古の号を用いて全六十三首が所収されている。

躑躅ヶ岡は、館林藩歴代藩主が、武士だけでなく領民にも開放して楽しめるように整備してきたものであり、館林の人々の誇りでもある。

躑躅ヶ岡には、他に「大谷休泊紀功之碑」もある。撰文は群馬県令楫取素彦、書は金井之恭である。そしてもう一つ、之恭に関係したものでは「行啓記念碑」がある。これは明治十九年に、孝明天皇の皇后であった英照皇太后と明治天皇の皇后昭憲皇后が行啓された記念の碑である。

大正天皇の即位の大礼が挙行された奉祝記念事業の一つとして、金井之恭が宮内省に働きかけ、大正五年四月に両陛下の躑躅ヶ岡への行啓が実現したと言われている。之恭は当時内閣大書記官の要職にあった。その後、元老院議官、貴族院議員を務め、従三位勲二等に叙せられている。

「躑躅岡公園記」等、記念碑の撰文や書に関して、花袋は強い関心を持っていたと思われる。

『残雪』に描かれた「千代桝」

明治三十五年（一九〇二）に発行された「埼玉県営業便覧」の中の「妻沼」の頁に「旅館兼料理店千代桝鈴木澄造」と大きな文字で記載があった。澄造は二代目、明治二年（一八六九）創業であるから、百五十年余続く老舗である。

『残雪』の中でも当時の「千代桝」の旅館内の庭や土蔵、庇、室などの様子が描写されているが、「長い廊下を隔てた方の暗い一間」、「庭に面した静かな一間」とあるように、かなり規模の大きい割烹旅館であった。実際、当時、本館（二階建て）の裏手には、先述の通り木造三階建ての立派な建物もあり、図面が残っている。現当主の清一氏もはっきりと記憶に残っている建物である。

町の名士達がどんちゃん騒ぎの宴を繰り広げる場面が出て来るが、こうした宴会や、婚礼などがよくあったようである。小さな田舎町にしては珍しく大きな割烹旅館であった。

『残雪』の中で「遊蕩気分の漲っている家」と書かれているのは、これは花袋がかつて赤坂や向島の芸妓と御座敷遊びに明け暮れたデカダンな生活を匂わせており、『残雪』のプロローグとしての意味深いシーンである。

「千代桝」のこの頃の建物で昭和三十七年（一九六二）の時の火災で焼却を免れたのは、三階建ての土蔵だけである。花袋が泊った中庭の木造三階建ての建物から失火によって燃え出したという。大きな建物は町の人達の驚きの声の中で全焼してしまった。その時の当主であった清一氏の両親、清さん夫妻は母屋の二階に寝ていたが、火事に気付き二階から蒲団を投げ落とし、そこに飛び降りたそうである。怪我はしたものの大事には至らなかったと美恵子さんからお聞きした。妻沼町の人達は、「千代桝」がなくなることを惜しみ、再建のための「趣意書」を回したという。そうした地元の力強い後押しのお蔭もあり再建がかなった。そして、聖天山境内で今日も立派な割烹料理の店として盛っている。今なお現存する土蔵を見上げながら、やはり土蔵というのは火に強いものだということを再認識した。「土壁がかなり厚いんです」と美恵子さんは手で示された。白壁は火事で煤けたがその後塗り直している。花袋も目にし、『残雪』の中にも登場する白壁の蔵は現在も健在である。

狩野良信作 聖天山参道版画
（「埼玉地誌略」（明 10）より）

妻沼聖天山

田山花袋は、紀行文「一日の行楽」の中で『妻沼の聖天祠』と題して、「妻沼の聖天祠は、埼玉ではきこえた流行仏である。東京などからも講中があって、二月の節分などには非常に賑わうのが例だ。」と書いている。花袋は「聖天祠」と書いているが、実は、明治元年の神仏分離令により、大正四年の頃はすでに神社ではなく寺となっていた。つまり、聖天山歓喜院の仏堂となっていたのである。花袋は「流行物のある大きな寺」と書いているので、このことは知っていたはずである。

しかし、大正四年のこの頃には参道入り口にはまだ「聖天宮」の頃のままに鳥居が立っていた。上の図は「埼玉県地誌略」（明10）の

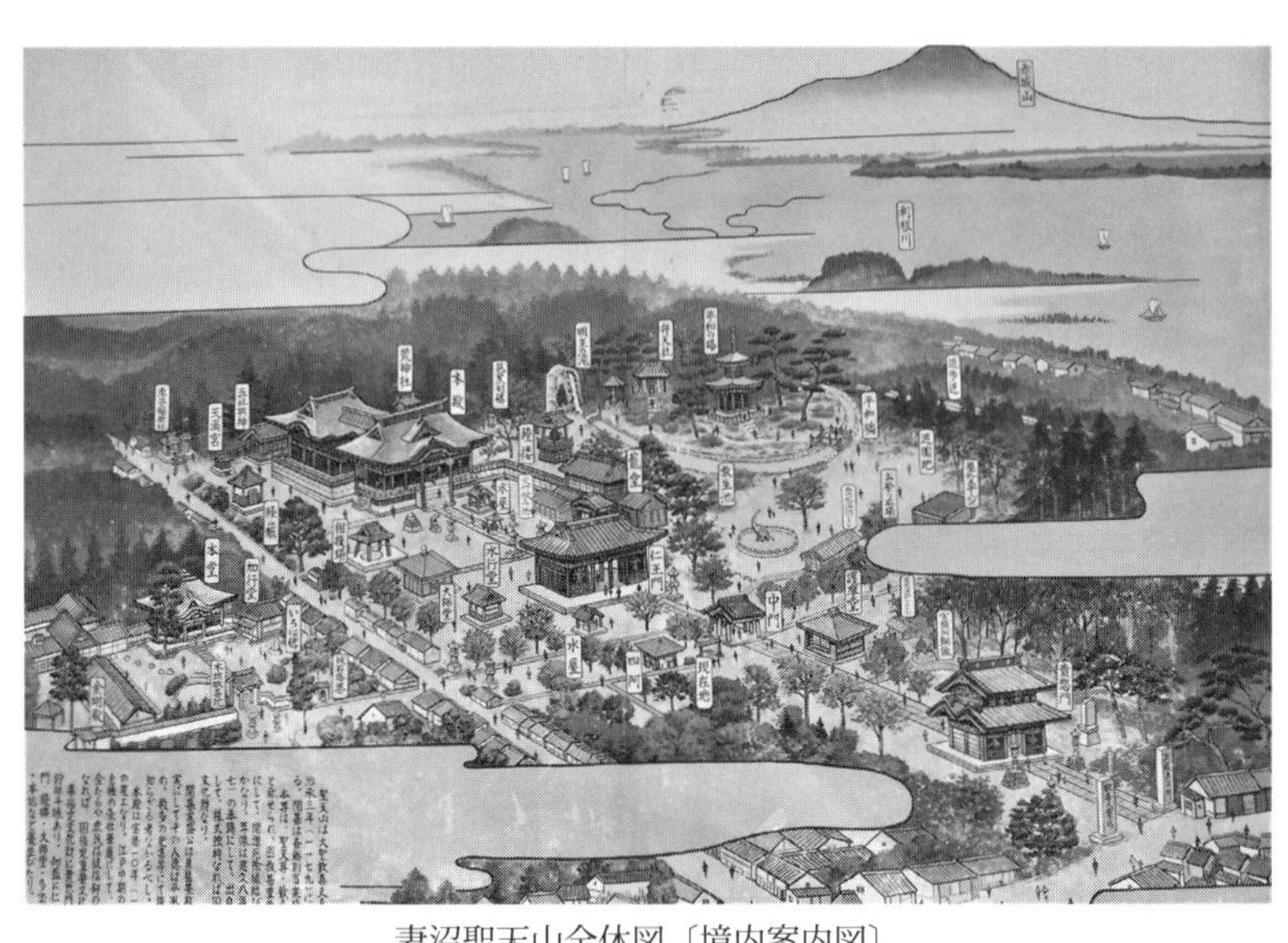

妻沼聖天山全体図〔境内案内図〕

中にある狩野良信の聖天山参道の版画である。この版画は実際の写真（撮影者は不明）を模写したものである。筆者も写真を確認している。

現在は鳥居はなく、大きな石門が立っている。石門は昭和五年（一九三〇）四月に建立されたものである。本来は、聖天宮の別当寺院であった歓喜院が廃寺となるはずのところ、聖天宮が歓喜院と分離されてはその存亡にかかわるということで、時の英隆住職は氏子二十八ケ村の村役人と対策について相談し、*岩鼻県社事役所に二十八ケ村役人連名により、聖天宮、歓喜院の歴史、位置づけ等、縷々（るる）したためた願書を提出した。結果、歓喜院の存続が決まり、聖天宮は歓喜院の仏堂とすることで決着した。

上の妻沼聖天山全体図を見ると、右下に石門があり、参道を進むと最初にあるのが貴惣門（重要文化財）、次に参道の右手に護摩堂、そして中門があり、続いて仁王門、更に進むと右手に籠堂（こもりどう）があり、国宝本殿となる。割烹料理「千代桝」は、中門の右側

妻沼聖天山仁王門

に昔の位置のままに現在もある。聖天山の後方に描かれているのが利根川、後の山が赤城山である。

高浜虚子一行が句会を開いた「三浦屋」は、石門を入って貴惣門の手前の右側にあった。花袋は、舟橋を渡りこの聖天山境内に入って来たのである。

花袋は、『残雪』の中で、「黎明の光を眺めながら、静かに、御堂の方へと行った。そこには仁王尊の彫像のある中門があったが、…」と書いており、小説なのだからそれが間違いとは言えないが、仁王尊のある門は上の写真の門、「仁王門」のことである。中門（聖天山最古の建物、四脚門とも言う）は、その手前にある小ぶりな門のことである。「千代桝」は中門の傍にある。

「かれは本堂から町の通に出る間を歩きながら、此の本尊が七八百年の長い年月をこうして此処に鎮座していることを頭に繰返した。私の父母も、祖父母も、皆な此処にお詣りに来た。駕籠に乗ったり、ちょん髷に結ったり、長刀を挟んだりして…。かれはまたこの本尊を勧請した歴史に名高い髪を染めて北国に戦死した健気な武士のことを頭に浮かべた。無限に長い過去であった。また長い将来であった。」（『残雪』）と、主人公哲太は感慨にふけるのである。

「私の父母も、祖父母も、皆な此処にお詣りに来た。」とあるように、江戸時代や明治の頃の交通便の悪い時代に、遠方から妻沼聖天山に参詣に来ていた。近隣はもちろん東京などからも「講」を組んで、参詣に訪れる人たちが大勢いたのである。こうした遠方の人達から寄進された石燈籠なども境内に見られる。

妻沼聖天山については、「歴史に名高い髪を染めて北国に戦死した健気な武士」と書かれていることからも、斉藤別当実盛公ゆかりの寺であることはよく知っていた。「保元物語」、「平治物語」における実盛公の活躍や、「平家物語」の中で有名な「富士川の合戦」、白髪を墨で黒く染めて出陣し最期を遂げた「篠原の合戦」の話などは当然熟知していた。後に『源義朝』をはじめとする歴史小説を書いていることからもわかるように、歴史に造詣も深く、大変関心を持っていたことがうかがえる。

＊岩鼻県…上野国及び武蔵国に点在した幕府領（天領）や旗本の領地を明治政府が管轄するため、岩鼻陣屋（現群馬県高崎市）に設置した県名である。

〈高浜虚子、大正六年六月号「ホトトギス」より『妻沼聖天山』〉

高浜虚子も、妻沼聖天山について「ホトトギス」の中で書いている。この頃、虚子は各地の句会に精力的に出席し指導をしていた。交友も広く、埼玉県にも度々来ていたと思われる。

当時埼玉県内を代表する俳人の、須加村（現行田市須加）の川島奇北は、虚子や子規らと親交があった。川島家の土蔵には貴重な資料や写真が残されていた。

「埼玉県立さいたま文学館」が設立されるにあたって、筆者の妻（増田和恵）は県内の文学資料の所在調査委員を委嘱されており、川島家の蔵に入り資料調べをしたことがあった。そして、虚子の書簡、子規の写真等、多数の資料の所在を「さいたま文学館」に報告している。

虚子は、大正六年六月号の「ホトトギス」の中で「妻沼」と題して、聖天山のことについて、次のように記している。

「馬車を下りてぶらぶらする足もとで山門を潜った。馬車の中から遠望した時には色とりどりに木の芽を吹いた新緑の森とばかり眺めていたのであったが、かかる田舎には珍らしい大きな建物が眼の前に峙っていた。本堂を包んで居る彫刻が特に有名なものだそうで一疋の猿を足の力爪で引き浚っている鷲の姿勢や、その鷲の方に尻を向け乍ら振り返って手を翳している他の猿の姿勢などは、流石に目を止むるに足るものであった。これは一つの扉の彫刻であったが、其他壁といはず欄間といわず悉く木彫りで成り立っているので、今は大方剥げているけれどもところどころに残っている丹碧の色と相俟って、此田舎には珍しい贅沢な建物と思わしめた。」とある。

妻沼聖天山本殿南面彫刻
〔鈴木英全院主提供〕

※　彫刻「鷲と猿」について

一見鷲が猿を捕まえているように見えるが、実は滝川に落ちかけた猿を鷲が助けているのである。「猿」は煩悩にまつわれた人間、「鷲」は聖天様（歓喜天）を象徴している。（「妻沼聖天山　妻沼」・さきたま文庫）」より）

〈斎藤別当実盛公とその息 斎藤五・六兄弟〉

妻沼聖天山は、治承三年（一一七九）に斎藤別当実盛公が武蔵国長井庄（旧妻沼町、現在は熊谷市）に大聖歓喜天を奉り、聖天宮を創建したことに始まっている。

そして、実盛公の子息である斎藤六実長が、建久八年（一一九七）に征夷大将軍 源頼朝の許しを得て聖天宮の別当寺院として歓喜院を建立したのである。

斎藤五（実途）、斎藤六（実長）の兄弟は、平家嫡流の六代御前が最期を遂げるまでお側で付き従った。六代御前とは、平高清のことである。正盛・忠盛・清盛・重盛・維盛・高清と続き、高清は嫡流の六代目であるので、六代御前、あるいは六代と称された。

平維盛の切なる願いに従って、斎藤実盛が息子である斎藤五・六の兄弟に平家の嫡子 六代御前の身辺をお守りするように命じたものであった。嫡子を託されたことからも、いかに実盛が平維盛から信頼されていたかがわかる。

平家が壇ノ浦の戦いで滅亡した時点で、六代はすぐにでも殺されるところであったが、文覚上人のたっての助命嘆願により、文覚に恩のある源頼朝がこれを聞き入れて、かろうじて延命できたのであった。しかし、頼朝が亡くなり六代の庇護をしていた文覚も流罪になると、早速、六代御前は捕えられ殺されてしまった。没年齢は不詳であるが、二十五、六歳まで生きたと言う説もあり、壇ノ浦で平家が滅んだ時から十数年間、出家し妙覚と名乗って命を永らえて来たのであった。

六代御前の死によって平家嫡流の血はついに消えたのである。

齋藤五・六の兄弟は六代が死を迎えるその時まで仕えたので、「平家物語」では最後まで登場する。兄 実途は役目を終え、自刃し果てた。そして、嫡男の実家、二男の実幹の二人を弟の実長に託した。出家し阿 請 房良応と名乗った実長は、長い間留守にしていた郷里 武蔵国長井庄に兄の子実家、実幹の二人を連れて帰って来た。実長は、平家滅亡の悲哀を目の当たりにし、また六代御前や兄の斎藤実途の死に直面している。世は無常の思いを痛感したであろう実長は、妻沼 聖天宮の別当寺歓喜院を建立したのであった。

開創 840 年御開扉法会・願文を読む英秀副院主
〔鈴木英全院主提供〕

聖天山の本殿は、平成十五年（二〇〇三）から七年間という長い年月をかけて大がかりな修復工事が行われ、現在は極彩色の彫刻が見事に再現されている。二十四年（二〇一二）七月九日に埼玉県の建造物としては初の、そして唯一の国宝に指定された。

また、平成三十一年（二〇一九）四月十六日～二十二日までの七日間にわたり、開創八四〇周年を記念して秘仏御本尊のお開扉法会が開催され、各方面から約十万人の人達が訪れている。

この時、筆者もご本尊 歓喜天を拝することができた。秘仏であり、普段は錦に覆われており、写真でも公開されていないため、お開扉（御開帳）のときでないとお目にかかれない。

『残雪』の中で「流行仏のある大きな寺」と書かれている流行

物とはこの秘仏大聖歓喜天（だいしょうかんぎてん）のことである。

〈妻沼への小旅行で詠（よ）んだ花袋の短歌〉

小林一郎氏は、「田山花袋研究―『危機意識』克服の時代―」の中で、花袋の「残雪」と題した短歌十一首について記述している。この短歌は、小説『残雪』が「東京朝日新聞」に連載され始めるよりも前の大正四年四月に「国民文学」に掲載され、これを新潮社が後に転載したものであるという。「大正四年一月十五日、羽生（はにゅう）より長岡、妻沼（めぬま）、須賀（すか）、加須（かぞ）を経て」という詞書（ことばがき）がある。この小旅行が小説『残雪』の舞台となるのである。（　）の中は筆者が、『一日の行楽』所収の「妻沼の聖天祠」や『残雪』の場面から十一首の短歌が読まれた地を推量し補足したものである。

① うら町は日かげ*菜の畑のころ雪をりをり三味（しゃみ）の音も聞えて（西長岡「長生館」）
② ゐねぶりて御者（ぎょしゃ）は喇叭（らっぱ）を吹かざりきあたゝかき残雪の道（太田〜妻沼間の馬車内）
③ 川上の浚渫船（しゅんせつせん）に立つけぶり残れる雪の上になびけり（妻沼 舟橋）
④ 日かげにはとくるともなき奥山の峰のみ雪の光まばゆし（妻沼 舟橋）
⑤ 子供らは早し御堂（みどう）のあさあけの鳩と共にも出でゝ遊べり（妻沼 聖天山）
⑥ 昼過ぎの町をすぎゆく獅子舞（ししまい）の笛わが窓の紙にひびけり（妻沼 千代桝）
⑦ 宵の間はさわがれ夜はた*はられて寝られざりけり田舎の宿屋（妻沼 千代桝）
⑧ ひもかはを爺（おやじ）は望み子供らはほそきうどんを食はんとぞいふ（太田 うどん屋の中）

⑨　奥山の雪よりかけてはろかにも野は靡き伏すあその群山（妻沼 舟橋）
⑩　山ぞひの林のかげの笹原に残れる雪はとくるともなし（太田〜妻沼間の馬車内）
⑪　あたたかき山ふところの萱原に残れる雪はすすきに似たり（太田〜妻沼間の馬車内）

＊①の歌の「日かげ菜の畑のころ雪」の「のころ」は、「のこる（残る）」。
＊⑦の歌の「たはられて」は「戯られ」と書く。「ふざけられて」の意。
＊⑨の歌の「はろかにも」は「遥かにも」である。

2　新規蒔き直しの旅

北海道での開拓生活など

主人公哲太は「新規蒔き直し」を期して、北海道での開拓生活を目指したり、東北の親類の開拓農家などを訪ねたり、様々な生活の道、生活の糧を探し求めてあちこちを彷徨する。哲太は家庭や世間からの束縛から自身を解き放ち、自己脱却を図ろうとしていた。

ある時は北海の怒涛の音を旅館の一間で聞きながら、また荒海を眺めながら、寂しい旅を続けるのであった。雪の深く降り積もった山村で移住者の家族の悲惨な生活を間近に見たりしたこともあったが、こうして救いを求めながら彷徨する自分よりは幸福に思えるのであった。

『残雪』の中に、「荒涼とした北海道や樺太に住む人達の生活を頭に描いた。自然のままな深林、それを開墾して一生を終るのも悪くないと想像を膨らませた。開墾の経験がある友達は彼の空想を戒めるように、『しかし、どこに行ったって同じですよ。矢張り同じ人間の生活があるばかりですよ。矢張り、男女関係と物質とですよ』と言った。生活のための生活、それ以上には新しい意義ある生活は何処にも見出すことはできなかった。」とある。

花袋自身、悩んだり、何かに行き詰ったりすると、気分転換を図るためよく旅に出た。自分を見つめ直し、今後の在り方を模索するためにも、花袋にとって旅は必要であった。

『残雪』の中で主人公杉山哲太の脱却願望や、それに伴う懊悩は、花袋自身の直接体験や思想が吐露されたものであるが、花袋の思想の中には、国木田独歩との交流の中から感得したものも少なくない。

〈独歩からの感化〉

主人公の哲太が「新規蒔き直し」を求め、北海道へ渡って開拓生活をしようと考える場面などは、まさに独歩の体験から引用したものと考えてよい。

花袋は、独歩が語ったその話を「KとT」の中で次のように書いている。Kとは国木田独歩であり、Tは田山花袋である。

「此前、君に話したね。遠藤よきという人とお信さんと三人で塩原に行った時のことを……。そうさ、僕が北海道に出かけて行く時さ。その時さ。あそこで一夜別れを惜んで、あの那須野の荒漠とした中を乗合馬車で那須野の停車場に来て、とうとう南と北とにわかれたのだが、そんな風に烈しく恋をしていながら、山林に自由存すなんて言う詩を吟じて、汚れた世間の波に浸るのを潔しとしないという決心で、払い下げて貰う土地を北海道まで見に行ったんだからね。そしてうまく行ったら、かの女を伴れて、北海道の馬鈴薯生活をしようとしたんだからね。随分空想さ。」

お信さん（佐々城信子）との激しい恋、結婚そして破局。独歩は打ちのめされ、腹を立て、それでもお信さんが自分の許に戻って来るのを切なくも待っていた。しかし、それがかなわぬと悟り、苦しんだ。花袋は、「国木田のその時分の失恋の苦しさを私はそれから十五六年も経ってから始めて本当に味うことが出来たのであった。私は大正になってから、大阪の独歩記念会で、『独歩の恋についての一発見』という題目でその話をした。」と述べている。この失恋の苦しさとは、『残雪』ほか多くの小説に登場する飯田代子との恋（愛欲）における苦闘を指している。

独歩からの感化は、『残雪』の中にまだ他にも見られる。

「そこに墓があった。苔の蒸した丸い昔の墓もあれば、欠けて倒れて長い年月をその侭に過したような墓もあった。かれはその前に長い間立尽した。何うしてそうした墓があれほど深くかれの心を惹きつけたであろうか。」（『残雪』）

これは、主人公哲太が「饂飩屋」の中で、うどんを待っている間に、崩れかかった昔の墓石を見て感じたことを回想している場面である。この場面は、実は独歩と日光で共同生活した若い頃の体験を基にしている。苔に覆われた路傍の石地蔵を見た時に、独歩が花袋に言った言葉である。

「日光の含満ケ淵を雨の日に一緒に散歩したことがあった。そこには、路に添って石地蔵が……深い苔蘚に包まれた石地蔵が、鼻が欠けたり頭が半分おちたりしていたが、国木田は感慨深そうにそれを指して、『君、そこにも人間がいるね。遠い昔に死んで行った人間がいるね。石とは思えないね。単に石を刻んだものとは思えないね。ここに昔の人がちゃんと生きているんだからね。（略）

僕らが今こうしていたって、時の間に過ぎ去って行って了うのだからね。こういう二人がいたということすらも知られなくなって了うんだからね。それを思うと、何うしたって、宗教に入らずにはいられないよ。」（花袋「国木田のこと」より）

花袋は畏友国木田独歩の鋭敏な感性に一目置いているところがあった。そして、独歩にも藤村にもとうてい敵わないと思うところがあった。

3　山荘の生活

『残雪』の中で、この山荘について次のように書いている。

「この山中の孤棲の半年が、かれのために、その有効な或る大駅として役立ったことを考えた時には、かれは言うに言われないなつかしさを、平生相対し相親しんでいたその周囲の山や霧や雲に対して感ぜずにはいられなかった。尠くともかれに取っては記念とすべきその幽棲ではなかったか。またかれの一生の絵巻の中に際立ってはっきりとあらわれているシインではなかったか。（略）かれの半年をすごした、種々な思索をつづけた、または孤独の行をやった」とあるように、この山荘の場面において、花袋の思想、思索が、哲太の心境を通して繰り返し吐露される。

「着くべからざるものに着き、染まるべからざるものに染まったという反省的な考慮の浅かったことに思いついた時には、かれは却って着くべきものに思いきり着き得なかった卑怯と小憺、または染まるべきものに徹底的に染まり得なかった躊躇と逡巡とを発見した。（略）」とあり、「染着」、「動と壊」、「愛憎」、「生死」の問題などについて深く突き詰め、自問自答していく。

〈富士見の山荘にて、―孤独と思索―〉

この山荘は、現 長野県富士見市にあった別荘である。花袋は、大正五年六月三日に富士見に行き、九月十四日に山荘を引き上げている。その間には、柳田国男がロシア人を連れて来訪したり、飯田代子が訪れたり、花袋の子供たち（長男先蔵、次男瑞穂、長女礼）も来ている。

長女礼は女の勘で、父のもとに女性（代子）の匂いを感じ取ったりした。子供たちは、母とその女性との関係を心配し、心を悩ませていたと思われるが、花袋は実は子煩悩の面もあり、子供たちとの関係は、花袋に芸術家特有の気難しさがあったものの、特段悪くはなかったようである。

むしろ、子供たちは父花袋の芸術への一途さ、真剣さを理解し敬意をもっていたように思われる。

父の女性問題について、子供たちは、芸術家としての花袋の価値観を前にしてどうすることもできず、さりとて『残雪』の中に出てくるように、家庭を壊して自分達を捨て去るような無責任なことはしないと思いつつも、子供たちもやはり家庭の問題として苦悩したと思われる。

『残雪』の中で、哲太が妻に向かって言う。「勝手でも何でも為方がない。俺は世間のために生きているのではない。また、お前や子供達のために生きているのではない。」と。

家庭と一人の女（代子）との間で激しい葛藤を繰り返しながらも、実際には、家族と一緒によく旅行に出かけた。旅先ではその土地の歴史や風物についてよく子供達に教えたりしていた。

富士見の山荘での滞在中は、ずっと籠りっぱなしという生活ではなかった。博文館や読売新聞社などに行ったり、フランスから帰国した島崎藤村を訪ねたりするなど、何度か上京もしていた。

翌大正六年六月から七月に、また富士見に行き、滞在するといったように、この山荘が大変気にいっていたことがわかる。花袋は、富士見の雄大で、自然の美を展開する景色に魅せられた。

花袋にとって忘れられない山荘となり、その地の青年達との交流、歓談の様も描かれている。

花袋は、この雄大な自然に囲まれ思索に耽ったのである。

〈瑞穂氏の「ある夏のこと」〉

花袋の次男の瑞穂氏が、昭和四十四年九月二十日、講談社版「日本現代文学全集」の月報21に「ある夏のこと」と題して、三人の姉兄弟が山荘を訪れた時のことを書いている。

ひと夏、私達は父と一緒に信州富士見の山荘で暮したことがあった。桔梗や女郎花やめずらしい高山植物の花が明るい日に輝いて咲き、八ヶ岳が居間の硝子戸から正面に眺められた。父は奥座敷で机を前に筆を執っていることが多く、私達は直ぐ退屈してしまったけれど、裏山に蕨を取りに行ったり、魚釣りをしたり、昼餉の豆腐を買いに行ったりして結構楽しかった。夏の日は額に暑かったけれど、さすがに山の空気は爽やかで、都会の雑踏の中ではなかなか味わえぬものがあり、鶯が日中、山の彼方此方でいい音を立てて啼いた。私はあたりの景色を写生する積りで、花の中に腰を下ろして見ても広い山容や遠く点在する村のたたずまいを、どう一枚の紙におさめてよいものか迷い果てて諦めてしまったりする。

兄は兄で学校の宿題にもあきたらしく、居間で茶碗、灰皿、蠅叩き等、目に触れるものを適当にあしらって描いたりして、父の仕事の邪魔をしないようにひと時、静かにしていたりすると父はのっそりと此方へ出て来て、いつになく静かにしている私達を珍らしみ、私達の描きかけの絵を手にして無造作に二三個所筆を加えて、「これでいい…」と私達の絵をほめたりする。どこがいいのであろうか、一向に解らぬ不満がありながらも、そう言われて見るとそれでよいのかと思い返したりする。そう云う折りの父はひどく機嫌がいい。その頃父は『山荘にひとりゐて』という作品を書いているが、そこには家庭や子供のこと、男女の苦悩に満ちた愛情のことなど、その細かい葛藤や心理の推移を真剣に考え、孤独の寂しさを感じていたのである。私達は父のそんな悩みを知りようもなく、直きむずかしい神経質になる父の顔がなんとなく恐かったりした。東京の母から佃煮や菓子折などがとどくと大喜びをしたりした。女の人のものもその中に混っていたのを別に怪しみもしなかった。東京が無性に恋しくなったりした。夏休みも終る頃に姉がやって来た。姉は食事時に膳に向かうと何にか可笑しいかして笑いを堪えたりして、それが私達に移ったりする。訳もなく可笑しくて笑いのとまらぬ年頃である。初めのうちは父もにこにこしていたが、余り毎度のことで不快になったらしく、いつになくきびしい顔をして叱ったことがある。

「何だかわからないんですけれど、こうして膳に向かっていると自然に可笑しくて」と年よりませていた姉はそんなふうに言って、ようやく笑いを堪えた。私達は姉の笑いに誘われまいと努力する。風呂場に女ものの石鹸箱が置いてあったり、女のところから菓子折がとどいたりしていて独居生活の中にどことなく艶かしい処があるのを姉は本能的に可笑しかったのだろう。

この女の人への心の曲折はやがて『百夜』のような老境の落着いた深い愛情に達している。男女の問題は父は父なりに真面目に、どうかすると他からは愚直に思われる程真剣に、第一義的に金剛不壊の恋を築き上げようとした。父の随筆に、「此方が十分に愛を注がずにいて、向うに欺瞞の多いことを責めるのは間違っている。注げ、愛を注げ、それに対して女の心の動いて来ないことは決してない。」いかなる女の欺瞞でも虚偽でもこの愛に対しては決して刃を立て得ないものであることを私は度々見た。この女の人との交渉はすでに日露戦争前後に始まっているらしく、関東大震災のあった時にまだ灰燼の消えやらぬ中を父は女のもとに安否を気遣って訪ねて行ったことがあって、そのことは父の「東京大震災」の中に書いてある。長く続いた愛情があらたまったらしい。それは父の死ぬまで続いていた。この間家庭との交渉は全くなく、女の家で病気に罹り、俄かに表面に出て来たことで、私達も一寸巻き込まれて困ったことがある。

「よね子よね子なれが愁ひは行春の恨みに似たりなれが愁ひは」父の歌集の中にある歌である。（田山瑞穂著「ある夏のこと」より）

この富士見の山荘に滞在した頃、礼十三歳、先蔵十二歳、瑞穂十歳であった。女の本能で代子と父とのことを感付いている礼は、確かに早熟と言ってよいかも知れない。

父花袋に対しては、瑞穂氏の文章にもあらわれているように、芸術家の子としての冷静な見方をしていたことがわかる。また、文豪として島崎藤村と並び称され世間から尊敬を受けていた父花袋をどこか父としてではなく小説家、芸術家として客観的な見方をしているところが見受けられる。

母や、子供たちを裏切る夫として父として非難するのではなく、芸術家である花袋の必然としての恋として理解し、夫として父としての責任も果たし愛情もあるのだからと、家庭に波瀾をもたらす父を恨み悩みながらも、切り分けて考えているような面も見られる。

4　平野の寺と建福寺

花袋と玉茗

『残雪』に登場する「平野の寺」は、現 羽生市の建福寺がモデルになっている。花袋の代表作「田舎教師」の舞台として描かれており、よく知られている。当時の住職は太田玉茗(ぎょくめい)であり、平野の寺の住職「Oという僧」として出てくる。

玉茗は、花袋の若い頃からの文学の同士であり親友である。そして、花袋の妻 里さ(りさ)は玉茗の実の妹であった。里さは『残雪』の中で夫 哲太の遊蕩(ゆうとう)や一人の女との愛欲問題に心悩ます妻 英子(ふさこ)として登場する。実生活においても、夫 花袋と愛人 飯田代子(よね)との関係に悩まされる妻 里さであったが、玉茗はこの二人の問題をどうみていたのであろうか。かたや親友の花袋、かたや妹の里さである。花袋にとって玉茗は腹のうちを安心してあかせる友の中の友である。

『残雪』の中にもあるように、妻 里さと愛人 代子との問題や、文学上の、また家庭からの脱却願望についても腹蔵(ふくぞう)なく話しているように思われる。玉茗も、花袋という人間、芸術家としての花袋の精神を知り抜いており、おそらく愛欲問題についても理解を示していたのではないだろうか。

明治四十四年十一月十八日には代子を羽生に連れて行き、玉茗と玉茗の妻 秀子と一緒に「大黒屋」という旅館に泊まっている。花袋は代子への思いも、玉茗に詳細に話しているだろうし、あちこちへ代子を連れて旅行をしていることについても玉茗は充分に承知しているはずである。

玉茗は大事な妹 里さの苦悩を知りながらも、一方では花袋の心も手に取るようにわかる。

花袋の家族への愛情、裏切りきれない真面目な性格を知っていればこそ、花袋の女性問題にも理解を示し相談に乗ってやっていたのだろう。第三者からみれば、花袋の行為にはあきれてしまうところはあるが、これは、何事もいい加減にできない花袋の真面目さ、愚直なるがゆえに生じた問題なのであろう。

妻沼から羽生建福寺への道中

『残雪』の中にある妻沼の旅舍（＝千代桝）から羽生の平野の寺（建福寺）に帰って行く場面について、紀行文「関東平野の雪」の中で次のように書かれている。

> 私はこれから利根川に添った五里の路を東に向って行こうとしていた。今まで絶えず相対した雪に背いて、今度は広い平野の方へ出て行こうとしていたのであった。やがて車が来た。
>
> 寒いだろうからと言って、若い車夫は持っていたドテラを私の足のところにかけて呉れた。
>
> 私の車は絶えず利根川に添って進んで行った。小さな川、痩せこけた榛の林、石橋や土橋、もう少し行くとあちこちに散らばった藁家が見える。
>
> 「ああもう加須だ。（地理的にみて「須加」である。誤植であろう。）」
>
> 「そこを通れば、もう新郷はわけはありません。」

果たして車夫の言う通り、私の昔馴染の松並木が行く手にはっきりと見え出して来た。それは故郷から信越線の汽車に行く度に、何遍となく通った路である。その路を左に行くと、利根の堤防があって、その下に碧い寒い水が白い残雪の河原の中に帯のように鮮やかに流れていた。

私は一時間ほどして、私の友人のいる寺の大きな山門のところに立っていた。路がわるいからと言って、車を街道のところで下りて、そして本堂の前の舗石道を歩いた。

「ヤ、もう帰って来たのか。」

「今朝早く妻沼を立って来た。」

「妻沼から来たのかぇ、まだ十時少し過ぎたばかりだよ。」

「関東平野をめぐる山の雪は実に何とも言われないね。殊に、北が好い。太田、妻沼あたりの線が好い。」こんなことを言って、私は冷たくなった手を火燵の櫓に載せた。

「でも、穏やかでよかった。君の行った日は寒かったが、二三日風もなくて、春のようだったからね。」友達はこう言って茶などを入れて来た。（『関東平野の雪』）

裏宿の故宅の前の花袋
〔「花袋全集」（昭 11 刊）より〕

妻沼の聖天山の境内にある割烹旅館「千代桝」で朝食を済ませた後、車を呼んで羽生へと向かって行った。車というのは、当時すでに自動車が市中に出てきていたが、一般では人力車のことである。

「千代桝」の前から、利根川を左に見ながら、善島、大野、

建福寺山門

葛和田、北河原、酒巻、須加、上新郷、そして羽生の建福寺へと帰って行くのである。なお、大正初めごろの初春の季節、花袋の服装は、マントで身体を覆い、ハットを被っていた。『残雪』の主人公 杉山哲太もこのような格好であったのだろう。

花袋にとっての「隠れ家」としての寺

羽生の建福寺は花袋にとって唯一の幽棲、隠れ家であったと、「花袋研究学会々誌」第24号の中で、丸山幸子氏は、「羽生と花袋—「隠れ家」としての建福寺」と題して、花袋がいかに羽生の建福寺に足繁く訪れたかという調査をし、「利根川を渡れば自分の故郷である館林の町が近いにも拘らず、花袋はその館林よりも数多く羽生に足を運んだ。現在確認できる回数としては四十四回。ただし、羽生を起点としてその周辺を旅し、また羽生にもどってくるのは一回と数える。どうしてこんなに何度も羽生を訪れていたのか。」と記述している。

花袋は、何故羽生の建福寺を訪れるようになったのか。そのきっかけは、生涯の友であり、妻の兄でもある太田玉茗がこの寺の住職になったことによるが、その頻度、日数はかなり多い。

丸山氏は、花袋が初めて羽生を訪れた時のことを、「その時分には、此処にはまだ汽車というものがなかった。全くの草の田舎だった。馬車は一日に一度しか通わず、それに乗りはぐれれば、また一晩とまらなければならないようなところだった。かれはその時久喜からその馬車でやって来た。そしてはじめてこのHという町を見た。またそのMのいる寺を見た。そしてそこに二晩とまった。」と『Mの葬式』から引用している。玉茗は後に母方の姓、三村（M）を名乗った。

花袋はどのように羽生までやって来たのか、当時の交通事情について、さらに、丸山幸子氏の「羽生と花袋―『隠れ家』としての建福寺」から確認してみたい。丸山氏は、「東武鉄道百年史 資料編」（平成10 東武鉄道株式会社）から、東武鉄道伊勢崎線の開通状況を記述している。これには、

明32・8　北千住〜久喜　　明35・4　吾妻橋（現業平橋）〜北千住
明35・9　久喜〜加須　　明36・4　加須〜川俣（利根川右岸）
明40・8　川俣〜足利町（現足利市）

とある。そして、花袋の羽生 建福寺への訪問について、丸山氏はさらに次のように記述している。

『Mの葬式』の記述にもどって、花袋の初羽生訪問のコースをたどると、東京から久喜までは汽車、久喜から羽生までは馬車ということになる。初訪問が従来通り明治三十五年十月とすると、何故、当時開通していた加須まで乗車しなかったのかという疑問が残る。ここで『Mの葬式』に忠実に従うならば、花袋の最初の羽生訪問時期は明治三十五年十月よりも以前、東武線が久喜まで開通した

明治三十二年八月以降の、従来の説より早い時期が可能性として考えられる。各年の訪問回数を調べてみると、明治四十五年、大正二年が一番多くて七回、ついで大正六年の六回である。明治末年から大正期初期の花袋は博文館退社と相俟って、いわゆる『四十の峠』『退潮期』と言われた時期である。この時期と訪問度数の多さが重なるという事実は、羽生という「場」が花袋にとってどういう位置を占めるかを証明するものである。博文館に勤務していた間も、午前中出勤、午後は羽生へというのが一度ならずあった。泊まった翌日の朝は、六時または八時の汽車に乗り、そのまま出社していた。このように建福寺は停車場にも近く、広い空間を自由に使用することが出来、自分の書斎に居るかのごとくである。また、利根川周辺の自然も魅力であった。」

建福寺本堂（右 旧本堂）

以上のような記述からもわかるように、花袋は実に頻繁に羽生の建福寺を訪問している。東武鉄道が羽生（明36）、館林、足利（明40）へと次第に延びて行き、大変便利になり、東京から羽生や館林への往復も日帰りができるようになった。建福寺は、花袋にとって本当に心休まる所であった。

写真は、現在の本堂（正面）、右側のお堂が玉茗が住職をしていた頃の本堂である。新しく本堂を建設した時に、旧本堂を曳家（ひきや）の技法により、現在地まで移したものであると建福寺の安野正樹住職が教えてくれた。なお、花袋が建福寺に訪れるたびに泊り、『残雪』の中に出て来る昔の庫裏（くり）は本書222頁の写真を参照されたい。

第三章　『残雪』執筆の周辺

1　文学上の苦悩

自然主義の退潮と藤村の渡仏

隆盛を極めた自然主義文学も明治末から大正に入る頃から衰退期に入り、「耽美派」、「白樺派」などの新しい思潮が台頭しつつあった。明治四十五年（一九一二）、花袋は、文学の、そして生活の拠り所でもあった博文館を退社した。四十歳になっていた。花袋は作品が書けないというスランプに陥ってい(おち)っていった。文学の上でも、また生活の上でも、見直すべき時期にあった。

『東京の三十年』の「四十の峠」の中に、島崎藤村のフランス行きのことが記されている。

「『どうも、もう一度、修業をしなければいけないような気がしますね。』こう言った島崎君には、心中既にフランス行の計画が動きつつあったのである。何らか大きな破壊をやって、生活を一新しなければならないと思っていた。やがてそのフランス行の話が決まった。（略）三年なり四年なり、島崎君に別れているのが淋しくかつ辛かった。H館をよして、始めて自由な体になった時、『これから閑(ひま)になったから、ちょいちょい来ますよ。』と島崎君に言った。君(くん)と私とは、割合に、めずらしく長く一緒の路を歩いて来た。一つ大いに一緒にやろうと思っていた矢先であった。それだけ私は失望した。（略）私は私で、いつもさびしい苦しい時の避難地にしている武州のH町の寺に行って、O君を相手に地酒を酌んでさびしく暮した。『とにかく、どうかしなけりゃならない。』こういう念が寝ても覚めても念頭を離れなかった。」

『残雪』執筆前の時期というのは、花袋は、藤村らとともに、なんとか新規蒔き直しを図っていこう、逆境を乗り越えて行こうと考えていたころであったが、そんな時期に突然藤村が渡仏することになった。花袋にさえ、打明けることもなくフランス行を決めていたのである。

〈藤村のフランス行き〉

藤村は、明治三十八年（一九〇五）、三十九年（一九〇六）に、長女、次女、三女と三人の子を失い、明治四十三年（一九一〇）、四女を出産した妻フユを亡くすという不幸のどん底に陥っていた。幼な子四人をかかえた藤村は途方にくれた。二人を里子に出し、二人の子の世話を次兄 広助の子である姪のこま子に手助けをしてもらうことになったが、藤村はこま子との恋愛事件（こま子が妊娠、出産し、兄 広助は藤村に激怒し絶縁する）を起してしまう。藤村は、こま子との関係を清算すべく、逃れるようにフランスへ行くことになったのである。そんな悩みを花袋にさえも打ち明けることはなかった。「せめて自分だけには、悩みを打ち明けてほしかった」と、花袋は友人として残念な思いであった。

フランス行は花袋をはじめ仲間の誰もが憧れたものであった。藤村のフランス行の事情も分からず、出遅れた焦燥に駆られていたのであった。

『残雪』と「時の問題」――追われる者の焦燥と苦悩――

花袋は『残雪』を書くにあたって、これまでの表現スタイルからの脱却、もっと言えば、自然主義からの脱却を試みている。花袋は、読む人の目にその情景が浮かぶような細密な描写を身上として来たが、『残雪』という作品はおよそこれまでとは趣が異なる。

その背景には、自然主義が新しい勢力に押され、批判に晒されるようになってきたことへの焦り、花袋が言うところの「時」の問題があった。花袋は、後から来る新しい勢力に追い立てられていた。

花袋門下の水守亀之助はこの頃の花袋の印象を昭和五年（一九三〇）、「文学時代」の中で、「何かに憑かれているような、また、ひたむきに、一つのことに集中しているような（略）何となく求道者のような…」と述べているが、確かに『残雪』にはそんな思いつめた心境が漂っている。

「時」の問題、時流というものは何事においても付きまとう問題である。流行り廃り、容色、体力の衰えなど、誰においても避けがたいものである。花袋は文学上の脱却を図る必要に迫られていた。

『残雪』においては、これまでの花袋作品のような「描写」は大幅に抑えられ、自己の心境、思想や仏教哲学などを連綿と告白して行くスタイルをとった。『残雪』が告白小説とか心境小説、宗教小説と言われる所以である。花袋は、新しいスタイルの作品についてこう自己評価をした。

「『残雪』を押しつめて行けば、ついには芸術から離れて了わなければならなかったからである。描写の世界から説法の世界に入って行かなければならなかったからである。芸術！芸術！自分の持った芸術が何んなに小さなつまらない者でも矢張り芸術は私の揺籃だ。私の故郷だ。また私の墳墓だ」と「文章世界」（大9・11）の「私のやって来たこと」の中で述べているように、「描写」ということにはこだわりを見せ、その後の作品においてはやはり描写の世界に戻っていく。『残雪』は、そういう意味で花袋文学の後期に向かう分岐点となる作品であったといえる。文豪と称され、文壇での地位を確立した花袋が、なおも文学の改革を試みようとした作品であり、花袋文学においても特別な意義ある作品と言えよう。

〈『残雪』とその後の花袋文学〉

『残雪』発表後の花袋文学はどのように変わって行ったのだろうか。一人の女との愛欲は『残雪』以降も花袋にとって一貫したテーマとなって、『恋の殿堂』、『百夜（ももよ）』へと続き、男女の愛欲の葛藤から不動不壊（ふどうふえ）の愛の成就（じょうじゅ）へと、次第に心の平安が広がっていく様が描かれる。また、花袋は、歴史小説によって、歴史上の人物の中に、自分あるいは一人の女を投影させるなどして描いている。

　そして、意欲的な「歴史小説」を幾つか書いている。その代表作『源義朝（よしとも）』、『通盛（みちもり）の妻』、『道綱の母』は、評価も高く、加藤武雄氏は『源義朝』を評して、「決して単なる昔の物語では無い。義朝を描く事によって、作者は矢張はっきりと作者自身を語っているのだと言うことは、一読して直（すぐ）に了解される。史上の人物を描いて、その体臭をまで感じさせる程の切実な筆は、流石（さすが）に大花袋（だいかたい）である。先に何が待っているとも知らずに、ひたすらに生の意欲に駆り立てられて突進して行く義朝の姿、その義朝の姿の中に、作者はあらゆる人間の姿を見ている。」と書いている。

　花袋を良く知る加藤氏だからこその論評であると思われる。花袋は、歴史の世界に我が身を置きかえて、登場人物に感情を移入し、世間に、また誰に憚（はばか）ることなく描いていく手法を取った。

正宗白鳥なども、「氏の歴史小説は、鷗外氏の歴史小説と対照して、棄てがたい味わいがあるのだ」と述べ、花袋の歴史観を評価しているが、やはり登場人物の中に、「花袋」とその回りを取りまく人たちの姿を見ていたのである。

2　花袋と飯田代子

愛欲の苦闘――「不動不壊の愛」の希求――

『恋の殿堂』の中の主人公が、「平生かれの芸術はあの女があるために今日までその命脈を保って来たんだ。あの女がいなけりゃどうにもならなくなっていたんだ」と感慨を述べる場面があるが、それは取りも直さず、花袋における代子との関係を言ったものである。代子はそれほどに花袋の心に入り込んでいたのである。

「館林文化」第六号（昭和三十五年五月）に、田部井福一郎氏が、藤沢市辻堂東海岸の飯田代子の自宅を訪ねて取材した時の内容を「作品から見た花袋の恋」というタイトルで書き残している。これは館林市教育委員会文化振興課の阿部弥生係長からご紹介いただいた貴重な資料であり、取材文章だけに、代子の声が聞こえてくるようである。代子は昭和四十五年一月に享年八十歳で亡くなっている。満七十八歳であった。その十年前であるから田部井氏が取材した当時は満六十八歳くらいであったろうか。田部井氏の資料を基に概略を紹介していきたい。

〈代子の生い立ち〉

代子さんの実家は、日本橋坂元町で三河屋という九代も続いた老舗で、代々回漕業と呉服を商い、その昔は幕府の御用達を勤めたほどの旧家であった。代子さんは飯田吉五郎、きん夫婦の長女として明治二十二年二月二日に生まれた。父吉五郎は正直者でお人好し、甲斐性がなかった。代子さんが五、六歳の時ついに没落してしまった。こうした悲運の家庭に育った代子さんは、一家の犠牲となって十六才の時、赤坂の芸妓屋「近江家」から芸名を梅奴と名乗って芸妓に出た。

飯田代子
〔田山花袋記念文学館提供〕

〈花袋と代子の出会い〉

明治四十年のある夜、赤坂の待合「鶴川」の一室に二、三人の芸妓を相手に静かに杯をふくむ壮年の客があった。遅れて座敷に入って行った梅奴はソッとお客の顔を見てどこかで見たような顔だと思った。それは二三日前、古い文芸倶楽部を拾い読みしている時眼にとまった肖像だった。文学好きの彼女は近頃評判の高い「蒲団」という小説も読んでいた。これがあの小説を書いた田山花袋という人かと思いながらその写真を見たのだった。その夜その時、梅奴はよもやこの人が自分の生涯の運命を決定する男性になろうとは夢にも思わなかった。

花袋はこの時三十七歳の男ざかりであった。花街（はなまち）での遊蕩（ゆうとう）は、この頃では、花袋の身に染（し）みついていた。女たちとは客と芸妓の淡々（たんたん）とした関係でしかなかったのであるが、なぜか梅奴のおもかげは妙に心にしるされて、彼女に対する恋慕（れんぼ）の情はますますつのって行くばかりであった。

〈代子との別離〉

花袋が北海道に旅行中の出来ごとだったが、梅奴が突然赤坂から姿を消してしまった。（「北海道」とあるのは田部井氏の勘違い。「定本花袋全集」の『年譜』の中に「明治四十一年八月、九州旅行から帰ると、飯田代子が銀座『天金』隣の実業家に落籍（らくせき）*されていた。」とある。この時、花袋は熊本県の八代（やつしろ）で戦死した父の墓参を果たしている。）

彼女は父母や弟妹のためにと思って、その頃銀座の「天金」の隣に店を持っていた実業家に落籍されたのだった。旅行から帰って梅奴が芸妓を廃（や）めたことを知った花袋のおどろき落胆ははたの見る眼も気の毒なほどだった。待合「鶴川」を根城（ねじろ）として花袋が乱行（らんぎょう）、遊蕩（ゆうとう）をしたのはこの時分である。

＊落籍…「ひかす」とも言い、芸者や遊女などの借金を払って身請（みう）けすることを言う。

〈代子からの電話〉

明治四十三年（一九一〇）のある日、博文館の「文章世界」編集室に電話がかかってきた。前田晁（あきら）

氏が受話器を耳にすると「飯田ですが……田山先生は居らっしゃいます？」というので、花袋に受話器を渡すと花袋は大きな声で「代子(よね)か、そうか、これからすぐに行く」と叫んでそわそわして落ちつかなかった。彼女は旦那の家庭の事情からわずか一年で別れ、今度は向島(むかうじま)の「福家」から「小利(ことし)」と名乗って再び左褄(ひだりづま)をとって出たのである。この時の電話はそのことを知らせてきたのだった。

〈向島「国本」での再会〉

向島の待合「国本」の一室で花袋と代子さんは一年ぶりに会った。花袋には赤坂の華やかな空気とちがって、この河ぞいの花街の淋しさは胸に迫るものがあった。夕暮れのせまい庭には紅梅の花だけが可憐(かれん)に咲いていた。花袋は長い間そのわびしい冬枯れの庭を思い深げに見入っていた。

この時の感銘はよほど深かったものと見え、それから二十年後、すでに臨終近い床に横たわっていた花袋は家族の者の居ないすきを見て枕頭(ちんとう)に控えていた代子さんにだしぬけに云った。

「お代子(よね)『国本』の庭に紅梅が咲いて居たっけなァ……」

代子さんは声を呑んで泣いたという。

〈「須磨家」の小利姐さん〉

明治四十四年（一九一一）、花袋はお代子さんに家を持たせて四人の抱妓(かかえこ)を置かせ、代子さんの父母弟妹もそこに引き取らせた。「須磨家(すまや)」の小利姐(ことしねえ)さん……彼女はそう呼ばれて、若いけれども土地の者からたてられるようになっていた。

小利は、花袋の真実な愛情が心から有難いとは思ったが、何かしら物足らぬ不満、寂寥の中に取り残されるのであった。

―田山先生には立派な奥様もあり、大勢の子供もあるのだもの―そうした不満と悩みをもった彼女に、芸妓ゆえに情人ができたのもやむを得なかったかも知れない。

彼女は初めの中は待合で逢曳を重ねていたが、やがて金に窮してくると大胆にも自分の家に男を連れ込むようになった。或る時は花袋はその恋敵と「須磨家」で顔を合せるようなこともあった。

〈小利と四海波〉

「その男は満都の人気をその双肩に集めることの出来る人であった。女を相手にするに好い武器の一つである人気というものを持った男であった。かれは田舎の料理店の息子で内芸妓などのいる中で育っただけに若い時から異性に対する経験と鍛練とをたくさんに持っていた。」（『残雪』）

その男とは四海波と言い、大正の初め頃、大阪相撲から東京相撲の幕内に移って小結まで進んだ力士であった。この四海波と小利との艶聞は、その頃向島はもとよりよその土地にまで鳴り響いていた。この問題には花袋は実に苦しんだ。

「女の心は右し左した。惚れた男とは何遍か離れ、離れてはまた逢った。惚れた弱みのために女が男に入れ揚げたかねも少しではなかった。そのために女の生活は荒廃した。家人と女との闘争も日夜絶えなかった。女はその度々の苦悩、それは哲太の苦しんだのと同じものであったが、その苦悩から浮かび上がってくる度に心を哲太の方へ寄せてきた」（『残雪』）

「四海波と正式に結婚するなら私は身を退こう」と花袋から云われた時に、小利は悲しみとも喜びともつかぬ感情に涙をこぼした。四海波を中心にして小利との恋の三角関係をつづけていた、浜町の待合「富田家」の女将おとみも「田山先生が承知なら私もサッパリとあきらめます」と恋をゆずってくれたのだったが、やはり女将と四海波は逢いつづけていた。

〈小利の入水〉

それを知った小利は、八百松でウイスキーをしたたかあおり、西洋カミソリを懐中にして浜町の富田家に飛び込んだ。「関取を出せ、返してくれとは云わない。そんな腸のくさった男なら此方からのしを付けて呉れてやるよ。だがたった一言云ってやることがあるんだから……」富田家の帳場で一騒動あったあと、小利は逆上したまま近くの隅田川に投身したが危ないところを助けられた。

その時、真っ先に駆けつけたのは花袋であった。

〈花袋の真心〉

大正十二年九月の大地震（関東大震災）の折、火災の余燼まだ消えやらぬ三日目、厩橋の両岸をつなぐ鉄管の上を這って隅田川を渡り、焼け跡の向島に愛人の行方を尋ねた花袋の情熱にはさすがのお代子さんも「この時ばかりは伏して拝みたく思いました。二十三貫もあるあの大きな身体で、溺死人で埋まる河を下に見て、まだ冷え切らぬ鉄管を這い渡って来たその真心というものは、有難さで思っても涙がこぼれます。蔭の女でもいい、私は一生この人に連れ添って生きて行こうと、その時ほんとうに魂の底から神仏に誓いました」と今でも言葉を強めて語るのである。

以上、田部井福一郎氏が直接飯田代子さんから聞いた話の概略である。

当時、東京相撲の人気力士であった四海波との恋愛事件は『残雪』の中にも登場する。「大相撲力士名鑑」によれば、身長一七一㎝、体重九〇㎏と小兵の力士であった。まだ東京相撲と大阪相撲の二つの協会に別れていた時代である。二つの協会が合併したのは昭和二年（一九二七）のことである。

＊四海波太郎、明治十六年一月生、昭和八年十二月没。明治四十五年に大阪相撲から東京へ移籍、出羽海部屋に所属し、四海波を四股名とした。現在の兵庫県洲本市出身。身長一七一㎝、体重九〇㎏。最高位は小結。右四つからの寄りが得意で、横綱梅ケ谷と三度引き分けになったことがある。大正六年一月に引退、君ヶ濱を襲名。（共同通信社「大相撲力士名鑑」二〇〇〇年 参照）

『百夜』と代子

大正十二年（一九二三）の震災後は、代子は芸妓屋を廃めてから巣鴨庚申塚に転居した。さらには碑文谷に代子のために家を新築してやった。このあたりの経緯は小説『百夜』に描かれている。

昭和三年（一九二八）十月に花袋は満州への旅行をするが、帰国後の十二月、碑文谷の代子の家で、突然脳出血のため倒れてしまった。

花袋は、明治四十四年（一九一一）に飯田代子をモデルにした『髪』を発表し、その後も、いくつもの代子をモデルにした作品を書いてきた。愛欲物と称されたりするが、花袋にとってはいずれも真剣な作品であり、代子がいなかったら、自分の文学は終わっていたと花袋に言わしめるほどの女性であった。

『残雪』、『恋の殿堂』と続き、昭和二年（一九二七）二月、五十七才の時に『百夜』を「福岡日々新聞」に書いている。この頃には、さすがの花袋も勢いがなくなり、中央の大手新聞や雑誌からの依頼はこなくなっていた。『百夜』は、「福岡日日新聞」に連載されたのであるが、花袋の死後もずっと単行本にならずにいた。正宗白鳥も、なかなか書物にならないので、花袋の死後二年目に、どこやらに保存されていた新聞の切り抜きを借りて読んだということを書いている。

そうした状況であったが、昭和十一年（一九三六）、花袋の七回忌を機に、島崎藤村が単行本としての刊行に尽力し、序文も付したのであった。

藤村は、その序に「花袋子（かたいし）が数多き著作のうち、わたしの愛する作品は五つある。『生』、『一兵卒の銃殺』、『田舎教師』、『時は過ぎゆく』、そしてこの『百夜』である。」と記している。

『百夜』は代子との愛欲、不動不壊（ふどうふえ）の愛を主題にした作品の集大成である。

お銀（モデル 代子（よね））が容色の衰えを嘆きつつも、島田（モデル 花袋）と愛の終着に向かっていく、落ち着いた二人の姿が描かれている。年をとったとはいえ、長年芸妓（げいぎ）として磨いてきた芸の力量、粋な姿が想像される。二人は京都に旅行し、三条の橋詰（はしづめ）の旅亭で、知己の女将と二人で酒を酌（く）み交（か）わし、昔の話などをする。お銀が三味線（しゃみせん）を持ち出す。お銀の三味の音が冴（さ）え、小唄（こうた）、都々逸（どどいつ）と好い気分で歌い出す。江戸っ子女の気風（きっぷ）、歯切れの良い口調、立ち居振る舞いの艶（つや）が目に浮んでくる。

関東大震災の時の花袋の誠実さに心底胸打たれた代子（よね）、次第に二人は不動不壊の愛に向かって行くのである。『百夜』にはその心理の推移が描かれている。

代子の余生

田部井福一郎氏が、藤沢市辻堂東海岸の松林にかこまれた飯田家を訪ねると、奥座敷には、橋本邦助画伯が描いた花袋の肖像画が壁面にかけられ、床の間には花袋の七言絶句の書幅（しょふく）が下がっていたという。代子（よね）さんは、閑静なその家でつつましく、花袋の位牌（いはい）と共に、鶴見総持寺の高僧から授けられた戒名を並べて、朝夕故人の冥福を念じつつ静かに暮らしていたという。代子さんは妹の子、姪の和子さんを養女として一緒に暮らしていた。そして、その後、和子さんは進さんと結婚して、田部井氏が訪問した時は、すでに五人の子持ちになって、代子さんと一緒に辻堂東海岸の家に住んでいた。進さんの転勤によりこの地に移り住んだのであった。

飯田代子と姪・和子
〔田山花袋記念文学館提供〕

田部井氏によると、「自分も鶴見総持寺の高僧から『高照院晴窓残雪大姉』の法名（ほうみょう）を授（さず）けられ…」とあるが、総持寺に代子さんの墓は実際にあるのだろうか、戒名のことも確認したいと考え、問い合わせてみた。鶴見の総持寺は曹洞宗の大本山である。福井県にも大本山 永平寺があり、よく知られている。この二つの大本山を両大本山と言うそうである。共に有名な大きなお寺である。いきなり訪ねたのではいかがなものかと思い、念のため電話で確認してみた。大変親切な対応で、調べていただいたが、結果は、「檀家さんのお名前は全て把握できておりますが、飯田代子さんのお名前はございません」との返事であった。筆者は少し戸惑ってしまった。

小日向の青龍山林泉寺

「では何処に?」ということで、代子さんが暮らしていた藤沢市辻堂の図書館に何か手がかりがないかと思い、問い合わせると、やはりよく調べていただき折り返し返事が来た。「『田山花袋記念館研究紀要』の第12号に出ています。」とのことであった。灯台下暗しであった。見落としていたのである。

その第12号に、「花袋は、代子のために東京巣鴨の庚申塚の宗教大学（現大正大学）の裏に家を借り、代子とその両親、姪を住まわせている。姪は、代子の妹とその夫捨吉の長女和子で、のちに代子の養女となった。その後、花袋は代子の妹一家が住む碑文谷（現目黒区）の近くに代子の家を建てている。花袋没後、代子は昭和二十四年から三十六年まで和子夫妻とともに神奈川県藤沢市辻堂に住み、その後東京都品川区に移っている。飯田代子さんは昭和四十五年一月六日に没し、墓は茗荷谷の林泉寺にある。」と記されていたのである。筆者は確認するため、茗荷谷駅近くの小日向青龍山林泉寺まで出掛け、住職と面会することができた。

林泉寺は、近代的な三階建てのビルになっており、綺麗に整備されているお寺であった。二階部分にお墓があった。二階の入り口前には、「縛られ地蔵尊」のお堂がある。地蔵を荒縄で縛ると盗難除け等、厄除けに御利益があるとされている。お地蔵さんは荒縄でぐるぐる巻きにされているが、年に一度、年末に縄はほどかれる。民衆の厄を引き受けてくれる有り難いお地蔵さんなのである。

代子さんの眠るお墓には林泉寺の事務の方に案内していただいた。『髪』、『残雪』、『恋の殿堂』、『百夜』など花袋の数々の作品に登場した代子さんの波瀾の人生に思いをいたし、墓前において合掌した。墓誌には、代子さんの戒名、没年が刻まれていた。

花袋の没年が昭和五年（一九三〇）であるから、代子さんが亡くなった時には、花袋の没後から四十年もの歳月が流れていたのである。

生前に総持寺の高僧から授かったという戒名ではあるが、四十年も経過しているのでは、さすがにそのままではないかも知れないなと思っていたが、墓誌を見ると、「高照院晴窓残雪大姉」とあったのには少々驚いた。花袋の「高樹院清誉残雪花袋居士」と同じ残雪の文字を刻んだ代子さんの戒名には、二人の恋の苦闘の軌跡がしのばれた。

そしてようやくにして不動不壊の境地に達した代子さんは、さぞや心安らかに眠っているのではないかと思われた。代子さんの花袋への思いが込められた戒名であった。

戒名にはその人の人生が凝縮されている。残雪という二字を撰した島崎藤村は、花袋の文学と人生のもっとも良き理解者であった。

江田真人住職のお話では、住職の祖父は鶴見の総持寺におられたことがあり、併せて駒澤大学教授を務められていたとのことである。そんなつながりを考えると、代子さんが言った総持寺の高僧というのは、林泉寺の先々代の住職のことであったかと思われた。いずれにしても、代子さんの願い通り生前授けられたという戒名「高照院晴窓残雪大姉」のもとで眠っているのであった。

江田住職は「祖父が住職として入った頃の林泉寺は随分と荒れはてていたけれど、これを整備していき、さらに父が受け継ぎ、その後を私が継いで、現在の林泉寺へと環境を整えて来ました。」とのことで、心の道場として座禅・武道・茶道などの稽古を行うなど、開かれたお寺として人々との縁を大切にされているとのことである。筆者は、花袋の文学に今なお生きる代子さんの人生をしのびつつ林泉寺を後にした。

3　花袋と岡田美知代

「哲太の性欲の目覚めの最初の対照であった或る女学生が同居していた時分にも、だから妻は平気な無関心な態度を取って、却って第三者達から心配された。」（『残雪』）とある。

たったこれだけの登場であるが、実は、この「女学生」は文学の師と弟子の関係であり、花袋にとって「愛欲のはじめ」の女性でもあった。明治三十二年一月に花袋と妻 里さは結婚した。結婚して五年が経過した頃で、長女 礼、長男 先蔵はすでに生まれており、この女学生が花袋の家に寄宿するようになったのは三十七年二月、ちょうど次男 瑞穂が生まれた頃であった。

岡田美知代
〔田山花袋記念文学館提供〕

その女学生、岡田美知代は、神戸女学院を中退し父親に伴われて上京してきたのである。文学志望の女学生であった。この時代、女性にとってはまだまだ閉鎖的な社会であり、しかも遠い地方からこうした挙に出るというのは、驚くべきことである。父親は広島県の県議会議員であり、土地の名家のお嬢さんであったが、新しいタイプの積極的に行動する女性であった。父親は娘の熱意に折れて、花袋の監視下において生活することを条件に渋々認めた。美知代は津田塾に入学し、花袋の家で文学修業をすることになった。

妻の里さの初々しさは昔のこと、なりふりかまわず子育てや家事に追われていた。そこに現代的で若く美しい女弟子の美知代が現れたのである。いつしか、花袋の心は美知代に捉われていた。

しかし、明治三十八年五月二日、広島に帰省した美知代はその夏に、兵庫県摩那山で開催された基督教の夏季大学に出席して、同志社大学生の永代静雄と知り合うことになり、お互い惹かれあうようになった。やがてはげしい恋へと発展した。九月十四日、上京の際、美知代は永代と近江の膳所に泊るような関係になっていた。

美知代は、師の花袋の心を知る由もなく、結婚に反対する父を説得してほしいと頼み込んだ。花袋は嫉妬の燃え上がる気持ちを抑えながら、分別ある師として欺瞞を演じることになる。

「妻子ある中年作家が内弟子の若い女性に心を奪われ、心を躍らせる。その女性弟子に恋人が出現すると、心の動揺、嫉妬心が沸き起こるが、その心とは裏腹に二人の理解者を装う主人公（花袋がモデル）、相愛の二人の前途を阻むことも出来ず、女性弟子は師匠の家を出て行くことになる。主人公の中年作家は女性弟子の夜具をまとい、彼女の残り香を嗅ぎながらむせび泣く」、というストーリーである。そこにはエロチシズムが漂い、人の内面の恥部がさらけ出されていた。

この事実に基づいて、「文章世界」に発表した作品が『蒲団』であった。

女性弟子が誰であるかは一目瞭然であり、モデルとなった岡田美知代は、世間の非難にさらされることになる。島崎藤村の『破戒』が大きな話題になっていた頃で、花袋は何かをしなければと追いつめられた状況にあった。自分に師として仕え、敬愛してくれている美知代を激しく傷つけることになるだろうことは痛いほどわかっていた。花袋は原稿が出来上がってからも提出できずにためらったが、結局は発表することにした。

ところが、「文章世界」の編集者であった後藤宙外までが『蒲団』の内容が甚だ非道徳であると検事局に訴え出た。花袋は呼び出され取り調べを受けたという。どんなやりとりがあったかはわからないが、そんな裏話を、門人の白石実三が明かしている。宙外は、結局は『蒲団』を世に出した。
こうした時代なので、発表後の『蒲団』の反響がいかに大きかったか、想像に難くない。

〈美知代へのお詫びの手紙〉

美知代は激しく動揺し、恥ずかしさと怒りに震え、恩師花袋に抗議の手紙を出した。花袋は、すっかり傷つけてしまった美知代にお詫びの手紙を書いた。

「まことに申訳がない、御詫しますから何うか堪忍して下さい。御手紙を頂戴した時は何うしようかと思った。さらぬだに苦悶して居る貴嬢に一層の心配苦痛をかけて其罪万死も猶かろしと思いました。変な気持ちが為て、気が苛々して、悲しくって、そして何だか腹立たしい、痛切に文学者の不真面目ということが思い当って、一方、これは仕方がない、芸術だ！と思いながらも心が暗かった。処が博文館に行くと、『小夜子』の一篇が来て居た。これを読んで、暗い心が非常に明かになった。兎に角貴嬢が自己を没して、芸術として見て呉れた態度に、霧生の思がした。（略）

人生はつらい、けれどつらいと言つても人生を唯わたるのは楽なものだ。不朽にあとづけようとするのは、それよりも猶つらい、猶さびしい、猶悲しい。けれど貴嬢は小生の唯一の門生である。如何にしても明治文壇に生きて貰はなければならぬ。蒲団の件はまことに申訳がない。何うか堪忍して下さい。如何ような御詫びをもする。（略）おろかなる師より」

〈美知代とのその後〉

果たして文壇も、世間も騒いだ、自分の内面の恥部、醜さをさらけ出し、また相手の女性をも裸にして世間に晒してしまうような仕打ちであった。花袋は、美知代が受けたであろうショック、身の置き所のない恥ずかしさ、そして怒りを思い、謝罪したのである。

しかし、この後花袋自身、思っても見なかった反響に驚くことになる。この作品は、明治文壇の、そして自然主義文学の頂上に花袋を大きく押し上げることになった。

明治四十二年（一九〇九）、一月、花袋は岡田美知代を養女として入籍、そして田山美知代として永代静雄と結婚をさせたのである。

三月二十日には、永代美知代は長女千鶴子を出産した。しかし、千鶴子は美知代の意志で羽生建福寺住職の太田玉茗夫妻の養女となり、父母のもとを去ることになった。

明治四十四年（一九一一）三月には、美知代は長男太刀男を出産したが、入れ替わるように、玉茗夫妻の養女に出されたこの幸薄い女児は、その年の六月に享年三歳で死去してしまったのである。法名「鶴仙沙彌尼」。建福寺住職の墓地に埋葬された。その小さな墓はかなり風化されてきたが、現在もなお在る。花袋は、この女児をモデルに『幼き者』（明治45「春陽堂」）を書いている。

美知代とは実際には心の中での恋愛に終わり、花袋は、この後、一人の女性飯田代子に出会い、新たな、しかも生涯にわたる愛欲の始まりとなるのである。

大正十五年（一九二六）、美知代は永代静雄と離婚し、「主婦の友」特派記者として渡米、アメリカで知り合った花田小太郎と再婚した。長男太刀男は昭和七年（一九三二）、結核のため二十二歳という若さで死去してしまった。花田と共に美知代が帰国したのは、開戦直前の昭和十六年（一九四一）であった。しかし、花田も結核で死去し、晩年の美知代は、妹の婚家であった広島県庄原市に住むことになった。花袋とのことを回想し、「花袋の『蒲団』と私」、「私は『蒲団』のモデルだった」などの手記を発表する。まさに波瀾の人生であったが、美知代は、『蒲団』のモデルとなったことを寧ろ積極的に語るようになったとのことである。東京学芸大学の岩永胖教授が岡田美知代への取材を試みたのがきっかけになった。美知代は、晩年、恩師 田山花袋への複雑な心境も綴っている。恩師への敬意と感謝の気持ち、これと相反する『蒲団』に描かれた事実の歪曲、とりわけ美知代の夫となった永代静雄（作中 田中秀夫）を意識的に貶めるかのような態度には改めて憤慨を覚えるところもあったようである。二人の子供に死なれ、二度の結婚も、永代とは離婚し、花田とは死別したりと、家族との縁に恵まれなかったが、自分が選択して歩んだ人生であり、気持ちを整理し悔いのないものにしたかったであろう。そういう意味において、岩永教授の取材は良いきっかけであったと思われる。

永代（岡田）美知代と永代静雄〔田山花袋記念文学館提供〕

岩永胖氏は、著書『自然主義文学における虚構の可能性』の「あとがき」の中で、「わが花田（旧姓岡田）美知代氏を備後の山に幾度びか訪れしは、すでに十余年の昔なりき。かの*刀自、本年一月十九日、八十三歳にて、この世をみまかりぬ。八谷正義氏の知らせを受けて、懐旧の情にたえず」と詞書があり、次のような短歌(二首抜粋)を詠んでいる。

「安芸路の山幾山越えて雪ふかき備後庄原に君は住みいし」
「若き日の君が恋をばたづねむと吾この山に迷い入りたる」

美知代は、昭和四十三年(一九六八)一月十九日、老衰のため八十二歳で死去した。

＊刀自…年上の女性に対する敬愛の気持ちを込めた呼称。

4 『残雪』論と花袋評

『残雪』論

『残雪』は現在では余り知られていない作品であるが、当時においての反響はどうだったのか、文学的評価はどうだったのか、いくつか論評を抜粋し取り上げてみたい。

① 加納作次郎、『残雪』を読む(「文章世界」)より

その表現の様式が、従来の数多の作品の如く、或る事件の発展なり、或る人物の実際生活なりを、言い換えれば人生の事実を平面的に描いたものとか、または人物の性格を描写したとかいうようなも

のでなく、哲太という主人公の心的生活の発展の径路、謂わば作者自身の心の閲歴を立体的に書いたもので、具体的にまとまった筋というものがなく、殆ど全部作者の施策のあとをその侭表白したような作品である。此の点に於いて従来の小説の型を大胆に破ったものというべく、最も小説らしからざる小説である。只だ私は此の作が、最近思想上芸術上の一大転換期にある田山氏の心境を語るものとして、作者自身にとっては言うまでもなく、現文壇にとっても、極めて重大な意義を有するものと信ずる。

② 片岡良一『近代日本の作家と作品』より

作品全体が主観的思索的傾向に貫かれて、それだけ事件的であるよりも心情的であり、それも理屈っぽく説明的で、且つ余りにも饒舌に過ぎて、小説として優れたものとは云えぬけれども、凄まじく突詰めた作者の苦悩を突抜けて到達した心境の深さとは、何としても感じさせずには置かぬのである。少なくともそれは、自然主義的世界観の行詰まりの後、日本文学が進んで行った一つの方向に於ける、一つの記憶さるべき里程標であったのであり、其処にその思想的立場の困難さに悩んだインテリの苦悶の密度が、深々と度盛りされているのである。

③ 宇野浩二　田山花袋・解説（「定本花袋全集第十巻」臨川書店　昭和十一年）

『残雪』は、芸術的に多少の欠陥はあるが、深刻な愛欲の苦悩と煩悶と迷いとを、恐らく作者の体験を、或は反省するように、或は懺悔するように、或は詠嘆的に、或は感傷的に、それを、類い稀な正直さで、率直さで、「人も恐れず、世間も恐れず」に、思う存分、書かれている。自然書かれている事は可なり生ま生ましいが、それだけ読む者を引きつけて離さないようなところがある。

これが前田晁が「三四年来、頻りに苦悶し動揺していた主観が、遂に其の頂点に達したものとも見られる作」といい、「自然主義を逸脱して、宗教的、哲学的なものとなっていた」という所以であろう。

四十五を過ぎた私は、花袋が、四十六の年の作、『時は過ぎ行く』、その翌年の作、『残雪』、その翌年の作、「再び草の野に」、その翌年の作、「新しい芽」、その他、晩年の作に、最も心を引かれる。

この三篇の小説は、彼の得意とした、愛欲生活を主として扱つたもので、特に『残雪』と『新しい芽』は、彼の全作品の中で勝れた小説であるばかりでなく、大正昭和の日本文学の中でも優れた小説であろう。

④ 小林一郎 「危機意識」克服の時代（「田山花袋研究」桜楓社 昭和五六年）

『残雪』は、こうして、「愛慾」と「社会」に向けた、「自」と「他」の問題を、花袋自身、大正九年十一月の「文章世界」の「私のやって来たこと」の中で「あのグロテスクな『残雪』が生れた。」といっているように、小説らしからぬ小説として、『罠』『白紙』『一握の藁』『絶壁』『小さな廃墟』『一室の牢獄』などの系列に属する観念性を主体にした作の代表として書かれたものであり、やはり、大正元年から七年にわたる間の、「四十の峠」を越えたあとに訪れた動揺、そしてそれに対応した心の軌跡、およびその底にながれている心理の葛藤をそのまま描いてみせ、一つの区切りをつけるために書いた作である。

花袋評

① 正宗白鳥、「田山花袋論」（筑摩書房「現代日本文学全集21　田山花袋集（二）」より

藤村・秋聲・泡鳴・蘆花などの諸氏が、皆んな自叙伝風の小説を作り出し、それ等の多くは、それぞれに一くせある感じがするが、田山氏のは凡庸で、芸術家らしい綾がない。経験や感想を、べたべた書きつづけたもので、経験さえあったら、誰にでも書けそうに思われる。しかし、これを凡庸と思うのが、我等が、自分等の文学標準に捉えられているためなので、凡庸丸出しのところになまなかの非凡以上の偉大さを認めなければならぬのかも知れない。

② 正宗白鳥（伊狩弘著「正宗白鳥の花袋評」より）

氏の作は泥臭いと云われているが、その泥臭い不意気な所が氏の強味であって、人間は本来泥臭いものではなかろうか。藤村氏の此頃の作物には煩悩が描かれ出したが、まだそれを上品に見せようとしている所がある。これに反して花袋氏は遠慮なく剥き出しに出ているので、何処か手強い所がある。

「氏は文壇の巨人」、「世間普通の批評に雷同して、氏のセンチメンタルな所がいやだと思いながら、矢張り私はそのセンチメンタルな所に共鳴を感ずる」、「田山氏の作には人道を蹂躙ったところは決してない。個人としては殊にそうである。」

③　加藤武雄（小林一郎著「田山花袋研究」より）

（加藤武雄は、）「多感」で「正直」な人といい、その芸術については「最も原始的な、それ故に最も根柢的な普遍的な人間の哀れみが歌われている」として、自然主義は滅びても花袋の芸術は滅びる時は無いとも言っている。そして、無雑作で、無作為で、無技巧と言った素朴な作風が人を撲ったのだと評し、「童心の詩人」とまで言っている。

『残雪』の評判

『残雪』は、「東京朝日新聞」に、大正六年十一月十七日（土）から大正七年三月四日（月）まで、百五回にわたって、名取春仙の挿絵とともに連載された長編小説である。僅か一カ月半後の大正七年四月二十五日には、春陽堂から単行本として出版されている。当時、「春陽堂」から単行本を刊行するということは、作家たちのステータスであり、憧れであった。紅葉、露伴、鷗外、漱石はじめ当代一流の作家達の作品が居並び壮観を呈していた。

これだけの長編でありながら、全く、章を設けておらず、区切りもなく、客観的な視線が「かれ（哲太）」に向けられ、そのかれの心境や思索が連綿として吐露されていくというスタイルである。

花袋の人生の軌跡を繰り返し辿ってみる中で、そういうことかとわかるところがあった。

現代小説家番附

番付	東	番付	西
横綱	田山花袋	横綱	島崎藤村
大關	有島武郎	大關	菊地幽芳
關脇	正宗白鳥	關脇	德田秋聲
小結	長田幹彦	小結	谷崎潤一郎
前頭	小杉天外	前頭	岡本綺堂
前頭	永井荷風	前頭	小栗風葉
前頭	高濱虚子	前頭	小山内薫
前頭	上司小劍	前頭	江見水蔭
張出大關	賀川豊彦	張出前頭	泉鏡花
前頭	武者小路實篤	前頭	鈴木三重吉
同	里見弴	同	後藤宙外
同	森田草平	同	木下杢太郎
同	吉井勇	同	有島生馬
同	中村星湖	同	秋田雨雀
同	久保田萬太郎	同	小川未明
同	後藤末雄	同	池田大伍
同	芥川龍之介	同	廣津和郎
同	坪内士行	同	志賀直哉
同	中村吉藏	同	中谷德太郎
同	加能作次郎	同	鈴木悅
張出前頭	山々紫紅	張出前頭	佐藤紅綠
前頭	谷崎精二	前頭	野村愛正
同	久米正雄	同	野上白川
同	半井桃水	同	田村松魚
同	渡邊默禪	同	遅塚麗水
同	近松秋江	同	岩野泡鳴
同	水上瀧太郎	同	武田仰天子
同	眞山青果	同	泉斜汀
同	伊原青々園	同	三島霜川
同	岡鬼太郎	同	大倉桃郎
同	田口櫻村	同	生田蝶介
同	羽樑荷香	同	稲岡奴之助
同	松田竹の島人	同	前田曙山
		張出	[illegible]

役	名
後見	德富蘆花
行司	森鷗外、幸田露伴、坪内逍遥
勧進元	村井弦斎、渡邊霞亭、村上浪六、黒岩涙香

（十六）

「現代小説家番附」〔国立国会図書館提供〕

『残雪』は、初版が大正七年四月、第二版が同年五月、第三版が同じく六月と、短期間で版を重ね、その後も第七版（大正十四年十二月）まで発行された。当然のことながら、売れていなければ再版などするはずがない。そうして考えると、当時の田山花袋は、自身としては自然主義の凋落を感じていたのであろうが、実際は、文豪としての地位はなおもゆるがず、依然として人気は高かった。しかし、鋭敏な花袋はその落日のきざしを肌に感じていたのだと思われる。耽美派や白樺派などの新勢力が台頭してきており、背中のほうからその足音が聞こえてくるような状況にあった。

〈現代小説家番附〉

国立国会図書館資料に大正十二年に刊行された「東京番附調査会編『今古大番附：七十余類』」（文山館書店）という本があり、その中に「現代小説家番附」があった。当時の世評をもとに編まれた人気番付である。これには、島崎藤村と田山花袋が東西の両横綱に格付けされ、徳田秋聲、正宗白鳥らの名前も上位にあり、自然主義の作家がまだまだ主流の座にいた。

しかし、よく見ると、有島武郎、武者小路実篤、志賀直哉、有島生馬、里見弴（とん）らの白樺派や、谷崎潤一郎、永井荷風らの耽美派の作家がずらっと並んでいる。

若手でその才を注目されはじめた芥川龍之介の名前もある。芥川を見出した夏目漱石はこの頃には既に亡くなっていた。坪内逍遥は文壇の大御所として健在で「行司」に名を連ねている。徳富蘆花は「後見」、森鷗外、幸田露伴、い勢力が台頭してきたことがわかる番付である。この番付はあくまで世間の評判を加味して、編者の独断で作成したものであろうが、翳（かげ）りが見え始めたとはいえ、花袋の世間での名声はまだまだ上位にあったことがわかる。

新聞と新聞小説

新聞小説については、高木健夫氏の「新聞小説史」（明治篇・大正篇・昭和編）及び「新聞小説史年表」に詳しくまとめられている。これには、「新聞と新聞小説」の関係、「新聞社と作家」の関係、「作家と挿絵画家」との関係等、その歴史的経緯や裏事情なども具体的に記述されており大変興味深い。

明治に入って次々に各社から新聞が創刊されるようになると、まもなく新聞に小説が掲載されるようになった。毎朝、新聞で小説が読めるという便利さ、有難さがあったのだろうか、連載物であるため、新聞が来るのを毎朝楽しみに待つ読者が次第に増えて来た。「新聞小説」が人気作家を世に出し、連載小説の評判で購読者が増えるといった相乗効果があったのである。

尾崎紅葉の『多情多恨』や『金色夜叉』、幸田露伴の『風流仏』、『五重塔』などはその最たるものであった。朝の新聞が来るのを待ちかねていた人たちが随分いたようである。

特に紅葉の勢威は隆々たるものであったが、紅葉がスランプに陥り書けなくなると、読売新聞の社長、主筆ともに「書けない紅葉などは利用価値がない」とばかりに新聞経営のソロバンをはじいて冷眼視したようで、さすがの紅葉も編集局に顔を出してもおどおどしていたと当時文芸欄の主任であった上司小剣が「U新聞年代記」の中に書いている。そこで、門下二百人とも言われた門人の中から代筆させ「紅葉閲」ということにして代筆させることになった。泉鏡花の『滝の白糸』、花袋の『笛吹川』もそうであるが、発表当時には名前はなく「なにがし 紅葉閲」とか、「なにがし紅葉山人」と、何でも「紅葉」の名前が付いていればよいといった具合であった。鏡花も花袋も覆面作家にさせられたということで、現在では考えられないことであるが、それほどに紅葉の新聞小説は人気絶大であったという逸話である。『多情多恨』でスランプを抜け出し、その後、『金色夜叉』が新聞に連載され、一世を風靡することになる。『金色夜叉』は新聞小説史上、様々な記録を打ち立てた。インテリ層から老若男女、一般庶民、はては鷗外、漱石までが愛読したという。

花袋が述べているが、鷗外は各文学派との論争においてことごとく論破粉砕したが、紅葉だけはどこか別格に見ていたという。漱石は『虞美人草』など自身の小説にも紅葉の影響を受けている。一つの社会現象を引き起こし、人気も絶大で、世間も新聞社も紅葉の筆を休ませてくれない。

『金色夜叉 前篇』、『後篇・金色夜叉』、『続・金色夜叉』、『続々金色夜叉』……『続々・金色夜叉 続篇』と無理に無理に引き延ばした。おかしなタイトルであるが、何が何でも金色夜叉が付かなければ駄目なのである。そうした無理がたたって胃癌を患い、紅葉は、明治三十六年十月、享年三十五歳の若さで没した。

各新聞社は、新聞小説を誰に書かせるかで競争のようになっていた。読売に尾崎紅葉、東京朝日には夏目漱石、芥川龍之介などがおり、花袋や藤村らも各社の新聞を舞台に次々に作品を世に出していくことになる。

『残雪』と挿絵—名取春仙—

名取春仙（なとりしゅんせん）は日本画家であったが、新聞に連載小説が書かれるようになると、挿絵（さしえ）の需要も高まり、挿絵にも手をそめるようになった。春仙の挿絵は、やはり日本画である。画力もあり、評判が良かったようである。「東京朝日新聞」の連載小説『残雪』の挿絵を画いたのは、三十二歳の時である。

名取春仙
〔南アルプス市立美術館提供〕

春仙の出身地の山梨県南アルプス市立美術館には、春仙の作品やゆかりの遺品などが展示、保管されている。同美術館の「名取春仙について」及び高木健夫氏の「新聞小説史」を参照し、以下、春仙の経歴、作品等について概略を記してみたい。春仙の写真掲載については同美術館より許可をいただいた。

春仙は、明治十九年（一八八六）山梨県中巨摩郡明穂村（現・南アルプス市小笠原）に生まれた。本名は芳之助、春仙と号した。

三十七年（一九〇四）東京美術学校日本画撰科に入学。四十年（一九〇七）、二十一歳で東京朝日新聞社嘱託となり、新聞小説の挿絵を画くようになる。その最初の作品が夏目漱石の『虞美人草』であった。漱石の入社にあたり、二十代の若い春仙であったが、大家の小説の挿絵を任されることになる。春仙の挿絵は、当時の画壇の注目を集めたようであり、金井紫雲は「新聞の挿絵が（浮世絵系統から脱して、近代的な意味を持った）芸術になって来た一つの道程をつくったものとして、朝日新聞の名取春仙の仕事を忘れてはならぬと思う」と述べ、さらに「一番はじめ、その腕を見せたのが藤村の『春』の挿絵であったと思う。（略）また漱石氏の『三四郎』の挿絵の、あの気の利いたスケッチ風の絵は今から考えても余程独創的なものであった」と述べている。

春仙は、日本画家としての創作活動も続けながら、多くの著名作家の新聞小説の挿絵を画いた。また、演劇界との結びつきも深く役者似顔絵を描き、大正時代には版元・渡邊庄三郎のもと役者絵版画を手がけ好評を博し、明治以来沈滞していた浮世絵版画に新風をそそいだ。そしてその業績は「歌舞伎浮世絵版画最後の巨匠」と称されるほどであった。また、日本画の画風に洋画の構図を取り入れ、新感覚と風格のある描写で小説家の意図と調和する名取春仙の小説挿絵は、新聞界の注目を浴び「挿絵の革命」と絶賛された。

春仙自身、小説挿絵に対する感覚を「読者のイリュージョンを扶（たす）けるより、却（かえ）ってそれを壊すような結果になり易い、それだからなるべく簡単に一章の感じ、一句の印象を捉へて描くといったようにしていた（自著『デモ画集』）と語っている。

漱石の『虞美人草』、『三四郎』、『それから』『明暗』や、藤村（とうそん）の『春』、花袋の『新しい芽』、『残雪』など多くの新聞小説の挿絵を画いた。また、啄木の『一握の砂』などの文芸本の装幀口絵（そうていくちえ）を描いている。

昭和三十五年（一九六〇）、七十四才で没した。

作家と挿絵画家

花袋の作品である『生』は「読売新聞」に、明治四十一年四月十三日〜七月十九日まで連載された。この挿絵（さしえ）を担当した画家というのは、後に日本画の大家として不動の地位を築いた鏑木清方（かぶらぎきよかた）である。この鏑木清方（かぶらぎきよかた）に対して、花袋は随分な悪口を言っている。これは作家と挿絵画家との関係の難しさ、当時の力関係を物語る一例でもある。

ちなみに、鏑木清方は、尾崎紅葉の『金色夜叉』の挿絵・口絵や、多数の新聞小説の挿絵や口絵を画いている。

花袋の『東京の三十年』の中に「『生（せい）』を書いた時分」と題した、次のような文章がある。

「『生』の筆を私は明治四十一年の三月一日から執（と）った。その四、五日前から、島崎君の『春』が『朝日』に連載されたので、従って、一層奮闘しなければならないような気がした。（中略）『生』の題材は、私が数年前から心がけて持っていたものである。自分の周囲の人たちのことであるだけに、想像は用いなくても好かったけれど、それだけ書きにくいところがある。ことに母親のことに関しては、情においてヒびないようなところがある。しかし、これを突破しないで、どうしよう。こう思って私は何も彼もかくすところなく書こうと決心した。最初に閉口したのは、挿画であった。画家は毎日私の文を読んでいてくれるはずであるけれども、その画家に頭がなかったのかそれとも一回ずつ読んでは、人物がうまく頭に入らないのか、毎日出て来る人物が皆な違っている。母親などは、難しい嫁いじめの婆さんとしか思われないように書いてある。兄もそうである。嫂もそうである。銑之助もそうである。私は私の文の意がその挿画によって、完全に読者の頭に入って行かないことを非常に恐れた。私は毎朝新聞を手にすることが苦痛であった。挿画を見るのが苦痛、文を読み返して見るのが苦痛、…（略）」

鏑木清方の代表作に、「築地明石町」（昭和二年）、「新富町」（昭和五年）、「浜町河岸」（昭和五年）の美人画三部作といわれる作品がある。

特に「築地明石町」の美人画は、黒い羽織のスラーッとした立ち姿の美しさが目を惹く絵で、一時所在が不明になっており、幻の美人画と称されて大変人気の高い作品である。日本画家の大家として名を残した鏑木清方にも、このように屈辱的な時代があったのである。

高木健夫著「新聞小説史」によると、作家と挿絵画家との関係は、初期の頃は、作家の方が優位にあり、挿絵画家はその名前さえ出なかったそうである。大正十年二月、入江新八の「潮は……」が読売新聞に連載され、作家の横に「挿画・森田ひさし」と名が出たのが初めてであるという。次に田山花袋の『銀盤』が同年七月から百七十二回連載され、花袋の名前の横に「挿画・伊藤深水」の名前が出たとある。挿絵画家は不当に低く扱われてきたようである。『金色夜叉』の挿絵は鏑木清方らの大家が描いているがついに名前は出なかったのである。しかし、挿絵の効果は大きく、その出来によっては読者を増やしていった。挿絵を見たさに新聞を取るという人もいたという。

作家と挿絵画家とは、作品についての摺（す）り合わせをするという時間はお互いになく、挿絵画家は手元に届いた原稿によって芸術家の感性で作品の内容をイメージして絵を画いたり、、あるいはこんな感じに描いてくれという作家の具体的な要望によって描いたりした。画家によっては作品の舞台になっている現地に実際に出かけて描いたりした人もいたという。時には作家の気にいらない、作家の意図とは異なるような挿絵ができることもあり、花袋が鏑木清方に対して不満をもったように、確執（かくしつ）が生じることはあったようである。

しかし、新聞小説も日を経るにつれ、作家と挿絵画家とは持ちつ持たれつ、気持ちを合せていこうという傾向になってきた。挿絵も、独立した芸術的価値を有するようになり、後に日本画、洋画等の巨匠として歴史に名を刻んだ画家も少なくない。

鏑木清方はその代表的な存在であった。

5　花袋と旅

長谷川天溪は、「…田山花袋氏程広く足跡を印した人は文壇に少なかろう。全く田山さんは今西行のように、旅を楽しむと共に又旅を詩にした人だ。あの有名な『やまぢゆくわが檜笠夕立の雨にぬれざる日はなかりけり』の歌に田山さんの姿がありありと出ている。」と述べている。

花袋の文学と旅の関係について考える時、思い起こされる花袋評である。

「定本花袋全集」別巻（臨川書店）の中の花袋の「年譜」は、その軌跡の全体が見渡せるほどに詳細に記述されている。この年譜を丁寧に指で辿って見ると、自宅に落ち着いている時がどれだけあったのかと思うほどに花袋は年中旅をしている。

『東京の三十年』の中の「私と旅」の中で、「私の旅行癖は随分昔からである。私は十八の時に、母や伯父伯母から貰った小遣を貯めて置いて、二円五十銭ばかりの金で、故郷の姉の家から日光に遊んだ。それが一番最初の旅行であった。日光には旧藩主の寺院S院がある。そこに行けば一夜二夜は泊めてくれる。こう兄が言って紹介してくれた。田舎の姉はその泊めてもらうお礼にしろと言って、自分の家で製織していた結城木綿を一反私に呉れた。」と述べている。

その前年に東京の牛込の住居から館林まで、明治二十年（一八八七）七月二十一日、満十五歳の時に、徒歩で故郷の館林に帰省している。そして、姉の嫁ぎ先である小倉兼次郎宅を宿にして、友達と懐かしく再会したり、漢学塾「休々草堂」の恩師吉田陋軒の墓参りなどをしている。

『東京の三十年』に、「旅」についての記述がある。『残雪』の中で「旅」は重要なモチーフであるが、次の文章を読むと「成程そうだったか」と理解できるであろう。

「私には孤独を好む性が昔からあった。いろいろな懊悩、いろいろな煩悶、そういうものに苦しめられると、私はいつもそれを振切って旅へ出た。それにしても旅はどんなに私に生々としたもの、新しいもの、自由なもの、まことなものを与えたであろうか。旅に出さえすると、私はいつも本当の私となった。（略）旅の知識に乏しい私には、眼に見えるものがすべて新しくめずらしく不思議に思えた。私は小さな手帳と鉛筆を懐にして、おりおりそれに歌と小説の題材とを書いた。

その手帳は今でも残っているが、その歌と感想とスケッチとの間に、その日につかった金の高が記されてあった。」

〈花袋の健脚ぶり〉

「田山花袋記念館研究紀要第3号」所収の、平沢禎二氏の『館林の少年詩人田山汲古とその周辺覚え書き』という文章の中に、明治三十八年十二月号の「ハガキ文学」の中で花袋が書いた『草鞋ずれ』と題した文が紹介されている。これには、花袋の若い頃の健脚というか、驚くほどの強脚ぶりが記されている。

「旅行も書生時代には随分乱暴なことをやったものだ。東京から鎌倉まで汽車を借りず一日の徒歩旅行など敢えて珍しくない方で、ある時などは浜街道（汽車のないころ）を五日間で仙台までいったことがあった。最初の日が土浦まで十七八里、翌日が水戸まで十四五里、その翌日が高萩まで十三四里、ただむちゃくちゃに歩きさえすればよいと思ったので、一日にそう烈（はげ）しく歩くと旅亭に着いても、脚は熱病患者のように熱して、豆の大きい奴が五つ六つ、この分では、明日はもうとても歩けまいと思う。けれどもよくしたもので一晩ぐっすり寝ると、脚はどうやらこうやら治るのが不思議だ。草鞋（わらじ）ずれということは交通不便の時代に生まれた昔の人は随分経験したようであるが、今の世ではそれのいかにおそるべきかを知っている人はおそらくあるまい。自分は東北旅行はたいてい汽車の便を借りず、否（いな）、大抵汽車のない処の名勝地（めいしょうち）を求めて歩いたので、一月ほど歩き通しに歩いたが帰路の山形地方あたりから、草鞋の緒（お）にあたる中指を痛め、旅行中したたか閉口したが、東京に帰ってからそれが腫れだして痛くて痛くて仕方がない。医師にみせると腐ってしまうといわれたので驚いて治療したが何でもそれがすっかり全快したのが三月目、今だにそのあとが残っている。（略）途中は食いたい菓実（かじつ）（ママ）も食わず、草鞋（わらじ）も破れると片足ずつ路傍に旅人のぬぎ捨てたのを拾う。草鞋というものは旅客はたいてい片足破れると捨ててしまうもので、注意してその完全な片足を拾って行くと草鞋は結構買わずにすむ。（略）」と書いている。

十七八里というと約70㎞である。これだけ歩くと翌日は歩けないのが普通であろう。それが翌日も翌々日もかなり歩いている。並ではない。また、旅費を節約するため、片足になった草鞋が捨ててあるのを拾っては補充したというのも、若い頃の花袋の貧しさ、そして性分を物語っていよう。

〈紀行文作家としての花袋〉

好奇心旺盛な花袋は全国をまめに歩き、手帳に記録し、作品の中にも生かしていった。花袋には多くの紀行文の作品が残っている。そのきっかけを与えてくれたのは博文館の大橋乙羽(おとわ)であった。

『東京の三十年』の「H書店の応接間」には、

「その時分、硯友社の乙羽君がH書店の婿となったのでその羽振りは凄(すさま)じい勢いであった。戸崎町のその新宅には鏡花君が紅葉の玄関から行って住んだ。乙羽君は新進の花形である鏡花君と一葉(いちよう)女史とを贔屓(ひいき)にした。乙羽君は、艱難(かんなん)を経て来た人だけに、思いやりの深い人であったけれども、洒脱(しゃだつ)な、人を馬鹿にしたような、瓢箪鯰(ひょうたんなまず)でつかみどころのないような態度は、キ一本な私のような若い者には、常に反感を起させるのが例であった。しかし、何(なん)の彼(か)のと言っても、乙羽君は私に取っては恩人だ。私の『日光山の奥』の一文を『太陽』に載せてくれたのも、一廉(ひとかど)の紀行文家にしてくれたのも皆な乙羽君の周旋(しゅうせん)であった。乙羽君も紅葉山人と同じく、私の小説にはなっから価値を置いてくれなかった。バタ臭い小説、泣き虫の小説、世間知らずの小説、こういつも批評して、『小説家に君がなろうたってそれは無理だよ、それより紀行文の方が好い。』こう言って、かれは私の紀行文をいつも買ってくれた。」と花袋は回想しており、当時、生活の苦しかった花袋にとっては紀行文を買ってくれた大橋乙羽はやはり有り難い存在で、花袋は、恩人の一人に上げている。花袋をH書店、すなわち、博文館に入社させてくれたのも大橋乙羽(おとわ)である。

このように、花袋は小説家であるとともに紀行文作家としての一面があった。

明治三十六年（一九〇三）一月、山崎直方・佐藤伝蔵編「大日本地誌」の編集常任幹事として、この事業に従事した経験は、花袋に、「旅」を地質学、地理学的な側面から見る、新鮮な視点を与えてくれた。花袋文学において紀行文の作品はかなり多く、『南船北馬』、『日光』、『日本一周』、『続南船北馬』、『一日の行楽』等々、約二〇〇編にも及ぶ作品がある。

『残雪』の中にあっても旅は重要なモチーフになっているが、花袋の文学は旅と切っても切れない関連がある。心を切り替えたり、思索を練ったり、見聞を広めたり、花袋にとって旅は必要不可欠であった。花袋は五十八年の生涯のほとんどを旅から旅へとスタスタと歩き続け、自分の人生を深め、芸術への意欲・情熱を培養（ばいよう）した。旅の中から膨大（ぼうだい）な作品を生み出して行ったという気がする。

第二部　文豪田山花袋の軌跡

―花袋文学の風土―

第一章　花袋の生い立ち

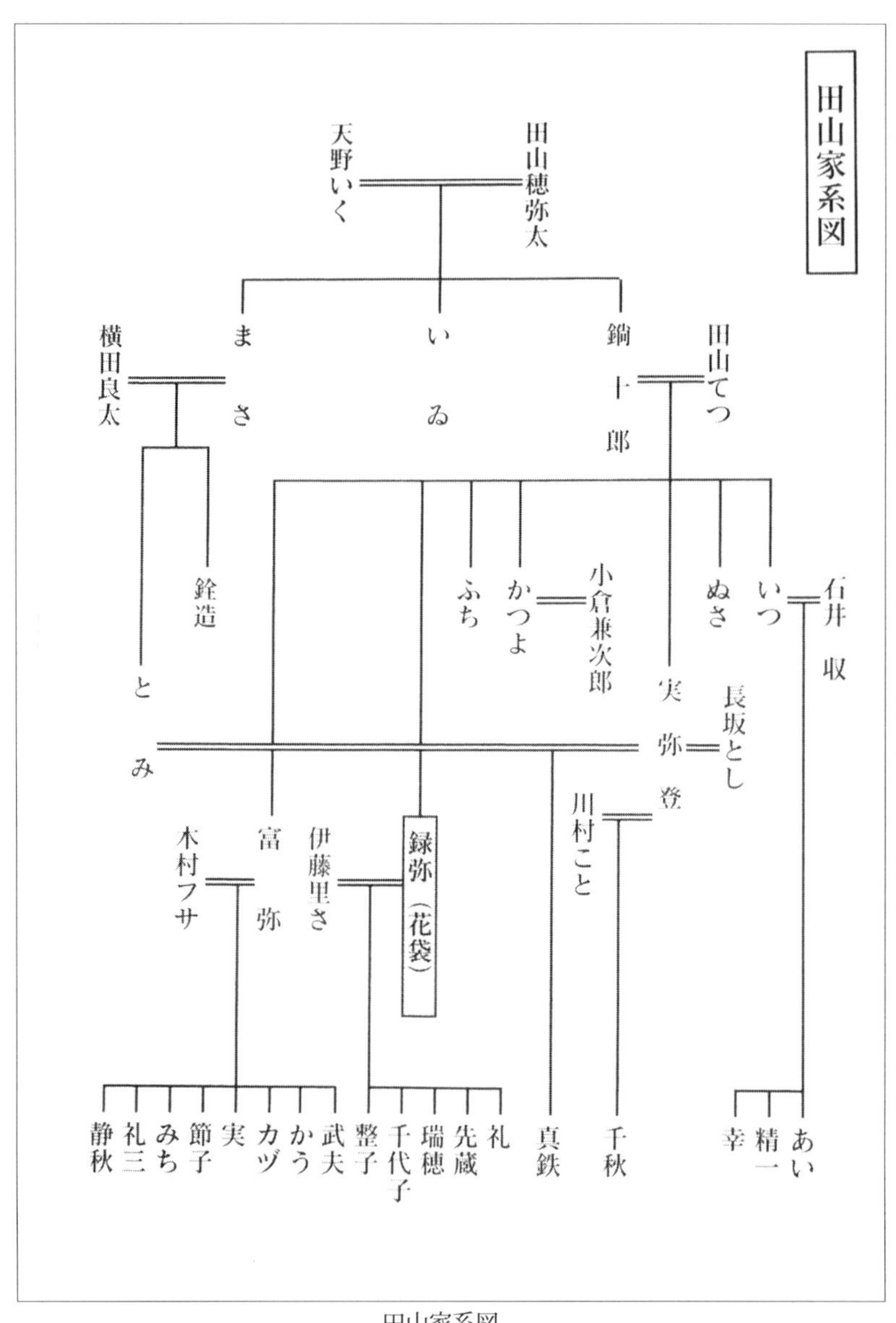

田山家系図
『定本花袋全集別巻』（平成７年　臨川書店）

左から長男 先蔵、花袋、次女 千代子、次男 瑞穂、三女 整子、妻 里さ、長女礼

左より弟富弥、姉かつよ、録弥（花袋）【明治１７年３月撮影】

２３歳の頃の花袋

※写真は三枚とも「田山花袋記念文学館」提供

1　家族のこと

懐かしき家

花袋は、小説『ふる郷』の中で城沼（じょうぬま）の畔（ほとり）の「生家」のことや、七歳から十四歳まで過ごした「旧居」（館林市、第二資料館敷地内に現存する茅葺き屋根の建物）のことについて、実に懐かしそうに描写している。原文は文語調なので、以下、その一部を抜粋し現代語訳（筆者、訳）にて記す。

〈生家〉
沼の畔（ほとり）の家は、大きくなってからはそうは思わなかったけれど、小さい頃は大きな立派な家だと思っていた。大好きな柿の木も栗の木もあり、私が子供時分に成長した家である。鶏（にわとり）の雛（ひな）の白と黒と斑（まだら）の三羽が、ちよちよちよと親鶏（おやどり）の後について行くのを、私はこの上もなく面白く見ていた。夕暮れごとに、祖父母は奥の六畳の縁側の片隅に大きなお膳を据（す）えて、庭の朴（ほお）の木の上から出てくるお月様を見ながら、楽しげに酒を飲んでおられた。

私は小学校に上がるようになったが、学校に通う路（みち）が遠いこと、今まで住んでいた家が年数も経（た）って古くなり家の礎（いしずえ）が傾きはじめたこと、沼が近くて子供を育てるのに危ないこと、この三つの理由によって、私たち家族は長い間住みなれた沼の畔（ほとり）の家を去ることになり、内伴木（うちばんき）という昔の城址（しろあと）に近い、やや人家の多い所に移りすむこととなった。

〈旧居〉

ああ、思い出の多いその家よ！家の後ろには低い土手が伸び、前には広い畑が広がっており、門の傍らには梅の古木が笠のように蔽いかぶさっていた。その周囲には柿、栗杏などいろいろ生い茂っていたが、ふるさとを離れた後は、私は何度そのなつかしい一軒の茅葺屋根を夢に見たことか。（略）ふるさとにおける私の思い出は、いつもこの家の思い出に繋がっていくものであり、ふるさとへの追憶の情もみなこの家を思い出すことばかりである。ああ懐かしいこの家よ！（略）

この家には、八畳、六畳、四畳半の三つの部屋があり、このほかに農家のような広い台所があった。六畳は祖父母の部屋で、祖父は一日中机に向かって、書物を読んだり、習字をしたり、算盤をはじいたりしていた。次の八畳の間には、右の高い所に神棚があって、そこには天照皇大神と共に、戦死した父君の霊が祀られていた。毎夕、母上がご神灯をともす度にその灯が美しく、花が咲いたようで、幼な心にも父上は極楽とやら楽しい国におられるように思った。

四畳半の離座敷は、後には私の書斎になったけれど、初めは父の遺物の本箱が山のように積み重ねられ、雨戸はいつも開かれていることがなかった。

家の周囲には一反歩ほどの畑があって、母上がご自分でその畑を耕しておられた。

田山花袋旧居〔館林市第二資料館内〕

この文章には、花袋が幼少の頃過ごした生家及び旧家への思いが集約されている。いかに故郷の家を懐かしく恋しく思っていたか、花袋の思いが充分に伝わってくる。

なお、「文豪 花袋のふるさと」(館林市教育委員会文化振興課)の中の「花袋の旧居」によれば、「木造平屋建て二二・五坪(七四・二五㎡)の旧居は、玄関の土間に続いて三畳、左手に八畳が二間、裏に三畳の板の間と土間、東側に四畳と、合せて五つの部屋があり、特に玄関東側の四畳の部屋は、花袋が勉強した部屋と伝えられている。」と記されている。

『ふる郷』に記されている間取りは、「文豪 花袋のふるさと」の記述、つまり実際とは少し異なる。この旧居は、花袋が九歳から、明治十九年七月十四日、祖父母、母、録弥(花袋)、弟の五人の田山家が一家あげて上京するまでの約八年間住んだ、花袋に取って忘れ難い懐かしい家であった。

秋元藩士田山家

田山家は、代々秋元家に仕えて来た武士の家柄である。田山花袋記念文学館発行の『『時は過ぎゆくを廻って』明治維新と田山家の五十年」によれば、「田山家が秋元家の家臣となったのは、秋元家が甲州谷村(やむら)(現在の山梨県都留(つる)市)の城主であった頃といわれる。」とある。

また、「シリーズ藩物語 川越藩」(重田正夫著)を見ると、秋元家二代目泰朝(やすとも)が寛永十年(一六三二)に一万八千石で谷村(やむら)(現山梨県都留市)の藩主となっているから、それ以来、田山家は穂弥太(ほやた)に至るまで約二百年秋元家に仕えて来たことがわかる。

秋元家十代目の志朝が藩主の時、弘化二年（一八四五）に山形から館林藩に移封となった。館林藩が廃藩となるまでの二十三年間、志朝、礼朝の父子二代にわたって藩政を担った。

〈秋元氏の歴史と岡谷氏〉

秋元氏は、遠祖が上総国周淮郡秋元荘（現千葉県君津市）を領したことにより「秋元」の姓を名乗るようになった。天文十年（一五四一）に秋元景朝が深谷に移り、深谷上杉氏に仕え、宿老（重臣）として家臣の筆頭格として活躍した。埼玉県深谷市には現在も秋元氏に由来する「秋元町」の地名があり、秋元氏館跡の碑や、秋元景朝が建てた菩提寺 元誉寺がある。深谷上杉氏の宿老としては、秋元氏の他、後に館林藩主秋元氏に仕えた岡谷氏と、もう一人井草氏を加え三宿老と称された。深谷上杉氏が豊臣秀吉に所領を没収されて後、景朝の子 長朝は徳川に仕え、上野国 総社（現 前橋市）一万石を拝領し、秋元家初代藩主となった。岡谷氏が、秋元家の重臣として仕えたのも、共に深谷上杉氏の家臣であった縁で結ばれていた。

秋元家は四代目の喬知の時代に譜代大名として、幕府の要職である寺社奉行、若年寄へと昇進し、ついには老中にまで昇った。宝永元年（一七〇四）十二月に、当時将軍 徳川綱吉の信頼が篤く側用人として権勢をふるっていた柳沢吉保（吉保の『吉』は綱吉の一字を拝領）に代わって、喬知が五万石で川越藩主となった。しかし、第七代秋元凉朝が老中職にあった時、思いもよらぬことに、明和四年（一七六七）、突然、山形への転封を命じられたのである。その背景には当時権勢をふるっていた老中 田沼意次との対立があり、左遷されたと言われる。田山家もその時に秋元家に従って山形に移って行ったのである。

〈田山家の家格〉

花袋の幼友達 進藤 長作が著した「田山花袋の少年時代」によると、旧藩時代の田山家の禄高は、「元高十七俵二人扶持。」と記されており、その注釈によれば、「元高十七俵二人扶持は中以下の身分。一人扶持は一日玄米五合、二人で月に三斗、一年に三石六斗（九俵）の玄米が支給され、これに十七俵分の正金（現金）が支給された。明治二年の廃藩置県の後、田山家の改正禄高八石八斗となり、これに戊辰の役の賞典家禄二石を加えて十石八斗となり、この中から税として二石ひかれたといわれる。」とあり、決して楽とは言えないが、俸禄（固定給）が出ていたのであるから生活はそれなりに安定していたと思われる。

館林藩の時代は、このように安定した年俸（玄米と俸禄）が入ってきたのだから、家格は中以下であっても生活に困ることはなかったであろう。田山家の落日は鋿十郎が西南の役で戦死してからである。

なお、花袋の意識にあった家系は、祖父母や父母が生まれ育った山形藩時代からである。

祖父 穂弥太や母 てつから山形時代のことをさんざん話して聞かされたからでもあろう。

〈父祖の地 山形〉

花袋は父祖の地である山形の地を懐かしく思い、明治二十七年（一八九四）十月二日から約一カ月東北を旅行し、その時、祖父母や父母が生まれ育ち、藩主秋元家に仕えていた田山家ゆかりの地を訪ねている。紀行文『続南船北馬』（明34）の中に、その時のことを「陸羽一匝」と題して書いている。

「十月の二十日には遅くも母の故郷なる山形の地に入ることを得るならん。其処はわが旧藩侯の曽て治めし所にて、国替えになりたる後も、わが一族はその陣屋なる高擶の村にとどまり、母は二十五歳のときまでその村に住み、長姉などは実にその遠き寒き国に生れたるなりき。母は幼きわれを膝に寄せて、いかに多く其高擶の事を語り、いかになつかしくその故郷の事を言ひ給ひけん」と書いている。

祖父・穂弥太は、秋元家が館林に移った後も、山形の高擶陣屋（山形県天童市）や、漆山陣屋（山形市）に引き続き出仕していた。秋元家は高擶、漆山に知行地を所有していたのである。

田山家が館林に移ったのは文久二年（一八六二）六月、藩主秋元家が館林に移った十七年後のことであった。山形から館林までの長い道のりを、引っ越し荷物と共に移って来たその苦労の様は、折にふれ母てつの話しの中によく出てきており、花袋は、小説『祖父母』の中に書いている。

少年 録弥（花袋）のこと

田山花袋は、旧暦の明治四年十二月十三日、新暦に直すと明治五年（一八七二）一月二十二日に、栃木県館林町一四六二番屋敷（外伴木）に、元館林藩士田山鋿十郎、てつの次男として生まれた。

この年、廃藩置県が施行され、館林藩は、はじめ栃木県に編入されたが、後、群馬県に移管され、今日に至っている。本名は録弥といった。家族は、祖父穂弥太、祖母いく、父鋿十郎、母てつ、長姉いつ、兄実弥登、三姉かつよ、録弥（花袋）を加えて八人家族であった。この後、花袋が四歳の時、弟富弥が生まれた。二姉ぬさ、四姉ふちは幼い時に亡くなっており、田山家の菩提寺である館林の常光寺に墓が今も残っている。この墓は花袋の父鋿十郎が建てたものであり、施主の名に田山鋿十郎と刻まれている。後年、花袋はこの墓にお参りし、父、姉、花袋自身の運命に思いをめぐらし、『姉』という作品にその感慨を記している。

　田山家では、父の戦死の後は、僅かな扶助料（ふじょりょう）を頼りながらの厳しい生活が始まり、幼い花袋も丁稚奉公（でっちぼうこう）に出されるほどに家計は苦しくなっていた。

〈少年録弥の丁稚奉公（でっちぼうこう）〉

『残雪』の中で、主人公哲太が、家庭を捨て世間も捨てて、「これからは自分のために生きる…」ということを妻に言いながら、それができず激しく葛藤（かっとう）するのであるが、もし本当にそうした場合には妻や子供たちはどうなるか、「かれは一家離散の悲惨な光景を眼の前に描いた。子供達は丁稚（でっち）なり給仕（きゅうじ）なりになる。妻は幼い子を伴（つ）れて涙顔（るいがん）乾く日もなき生活を送る。」（『残雪』）と悲惨な未来を想像する。この「丁稚なり給仕なりになる」という一文は、まさに花袋自身が二度も経験した苦い、忘れ難い屈辱の記憶であった。フラッシュバックするかのようにこうして作品の中に出て来るのである。

『幼き頃のスケッチ』の中に、「私は十一歳（満九歳）の時、半年ほど足利の薬種屋（やくしゅや）に丁稚（でっち）に行ったことがあった。その頃、子弟を商人に仕立てようとすることが士族の間に流行した。役人は免職の心配がある。自分でかせいで生活して行く商人に限る。誰も彼もみんなこう言った。幼い、無邪気な、まだ世の中のことも知らない子供は、こうして悲しいローマンスの一節のように、ある朝冬の寒い朝、ひとり車に乗せられて、その遠い町に行った。私はその時、母がシャツやら股引（ももひき）やらを買って、丁稚（でっち）姿（すがた）に仕立ててくれたことを覚えている。私は赤い襟巻（えりまき）をしていた。」と、初めて「丁稚姿」にさせられた時のことを書いている。

明治十四年（一八八一）、花袋は九歳の時に、足利の薬種問屋「小松屋」に丁稚奉公をしたのが最初であった。二度目は、祖父穂弥太に伴われ上京し、岡谷繁実の紹介で、京橋区（現中央区）南伝馬町の、農業関係の書籍を出版していた「有隣堂」に丁稚奉公をした。

祖父からも母からも、田山家が累代武士の家柄であり、戦死した父もお国のために尽くした立派な武士であった、お前もきっと豪い父君のようになれよと言われ続け、士族の子であると意識してきた録弥にとって、丁稚奉公はやはり大きな屈辱であった。

九歳の録弥（花袋）は、不馴れな東京の路地から路地を、背中に重い荷物を背負って走り廻った。

「幼年の身にて地理不案内の諸所に使ひに遣られ、或は店舗の掃除や書物の整理に当る等、加へて先輩其の田舎漢なりとて罵られ常に叱言を言はれし事は全く可憐のことなりしならん。之等の話は氏の生存中忘るること出来ぬことなりと屡々語られき。」と進藤長作著「田山花袋の少年時代」にある。当時、花袋は九歳～十歳の時であったのに、明治の東京の街の様子について実によく記憶し、詳細に描写している。

〈録弥の過ち〉

録弥は、一年ほどで奉公先の「有隣堂」を解雇されてしまう。なぜかお金を誤魔化すという過ちを犯してしまったのである。花袋には拭い去ることの出来ない、暗い記憶となった。

「不都合があって、一時私が帰されたのを、詫(わ)びて再びその店に行った時のことなどが私の胸を往来した。その時、『もう、そんなことをするんじゃないぞ、忘れても……な……。』こう言って、町の裏通りにある小さな蕎麦屋(そばや)で、なけなしの財布の銭をはたいて、天ぷら蕎麦を二つ奢(おご)ってくれた……。私は私の眼に涙の滲(にじ)んで来るのを覚えた。」と、兄の実弥登から優しくさとされ、涙ぐんだ録弥のこの時の姿が『東京の三十年』に描かれている。

しかし、こうした屈辱の体験の一つ一つが作家としての原動力になって行った。

〈録弥と長作〉

花袋の少年時代を良く知る進藤長作が『田山花袋の少年時代』と題して、花袋について書き綴っているが、この著作が失われつつあるのを惜しんで、昭和四十五年になって、進藤完治、平沢禎二の二人が編著者となって再発行した。この中で、編著者である進藤、平沢両氏は、進藤長作と花袋の関係について次のように記している。現代語訳（筆者訳）にて記す。

「進藤長作は、花袋と同じ陰暦明治四年館林に生まれ、ともに館林藩士を親に持つ武士の子だった。二人の家はともに館林町の外伴木(そとばんき)、城沼(じょうぬま)のほとりにあり、呼べば答えるような近距離にあった。幼年時代から小学校中等科をおわるまで全く同じ生活を送った親しい勉強仲間の友だった。『長ちゃん』『禄ちゃん』と呼び合いながら、二人は城沼や館林城址を遊び場としてはねまわっていた。しかし少年時代から青年時代にかけて二人はそれぞれ別の道をたどった。進藤は教育界に入り、ふるさとで小学校教師、小学校長とすすんで行った。一方花袋は家事上の都合でなつかしいふるさと館林をはなれ上京して次第に文学の世界へと進んで行った。進む道は異なっていたが二人の交友は生涯変わらなかった。花袋はなつかしい故郷の友 進藤にいつも便りを書くことと著書を贈ることを忘れなかった。また故郷館林に帰るとかならず進藤宅を訪れることを常とした。」

同じくこの著書の中で、進藤長作は「花袋君の読書法」と題した一文を書いている。現代語訳（筆者訳）にて記す。

〈『花袋君の読書法』〉

「花袋君は生まれつき、早口であった。読書の時はいつも大きな声で音読した。だから私は花袋君の家に遊びに行く時、尾形家の入口あたりで花袋君の音読の声が聞こえてくると、ああ家にいるなとわかった。そして、いつも花袋君の書斎で漢籍の疑問点をお互いに研究したり、あるいは一緒に城内を散歩することなどもよくあった。とにかく、花袋君は少年時代より頭脳明晰（ずのうめいせき）で、同級生たちより頭ひとつ抜き出て優秀だった。今や館林においては吉田塾時代の朋友としては、私一人だけが生き残っているのであり、何となく物寂しい感じがする。」（『田山花袋の少年時代』）

祖父母のこと

花袋は、『祖父母』（明41「中央公論」に発表）という短編の中で、祖父母の晩年の生活ぶりについて温かい目を向け、人情味に溢れた筆致で描いている。小説の舞台は、郷里館林の藁葺の旧居になっているが、晩年に祖父母が実際に暮らしていた家は、兄 実弥登の就職を機に一家で上京して住んだ、東京市牛込区市ヶ谷富久町であった。

舞台が郷里になっているのは小説上の虚構であるが、このことについて、小林一郎氏は、「老祖父母の死を、ふる郷の地に移して、そこで静かに、そして平和に、苦しむことなく、しかも、ユーモアをただよわした形で描くことによって、よるべのない寂寞とした東京の地で死なせたくなかった花袋の願いが、こうしたフィクションの形をとらせたのであろう……」と述べている。

また、『祖父母』について、四十一年五月の「新潮」で、福地昭二氏は次のように解説している。

正宗白鳥は、「描写なども平凡だが、深みがあると思います。——写生文とは違います。祖父母の心持ちを描くまで進んでいます。」と述べ、また蒲原有明も六月の「新潮」で『祖父母』は感服して読んだ。田山氏の長所を遺憾なく発揮した佳品である。事実を其儘書いたものらしいが、態度が余程客観的になって居る。…」と述べ、ユーモアの底にある「人生の悲哀」を描いている点を高く評価している。

この作品には、花袋が子供の頃から観察してきた祖父母の生活・気持ちがよくにじみ出ている。

二人の晩年がどのようであったか、その具体的な場面を抜粋し現代語訳（筆者訳）で記す。

祖父は昔の人で、なかなか大食であったが、祖母は極めて量が少なかった。飯よりも菜（おかず）の旨いもの、珍しいものを喜んで食った。最後の一椀を終る頃、祖父が、「お幾！　お飯か？」と聞く。如何な時でも、「お幾、もうお茶か。」といった例がない。「情愛があるのだねえ、お茶かと言ったことは唯の一度もないよ。」と若くして父に死に別れた母はこの老夫婦の睦まじさを感心していた。

祖父は、藩ではその生い立ちは軽い身分だった。けれど後には祖父の名を藩で知らないものはいないくらいに立身した。飛ぶ鳥落とすような江戸家老のお気に入りで、万事家老の下にあって、目覚ましい働きをした。封建時代では、身分ということが一番大切で、軽い処から槍一本の士分になるのは容易ではない。その容易でないことを祖父はした。棒使いの達人で、弓術の達人で、それで数学に非常に達していた。勘定方から立身して、後には代官となった。（略）祖父は世間で活動して、成功しただけあって、家庭でも非常に難しい人だったそうだ。父と祖父と母との間の関係は、何時も家庭に時ならぬ波瀾を起こした。母は私ら子供のためにのみあらゆる呵責をも忍耐し尽くしたと私らに語った。（略）

父が東京に出て職を警視庁に求めるようになったのは立身出世という考えもあったらしいが、実はこの祖父と衝突を免れたい為であった。であるのに、間もなく西南の戦争、父の戦死、一人取り残された母は三人の子らを抱えて、故郷にある老夫婦の手に倚らねばならぬ運命に遭遇した。

〈岡谷繁実と田山家〉

以上、祖父母の一端を記述したが、館林藩士の時代の祖父 穂弥太は大いに活躍し、輝いていた。

「江戸家老」とあるのは矢貝高寛のことである。館林藩元重臣の岡谷繁実 著「館林叢談」には、江戸家老矢貝は、岡谷繁寿（繁実の祖父）と共に、第七代秋元涼朝公の御遺志に添うべく館林への転封実現のため四方に手を尽くし、その甲斐あって弘化二年（一八四五）に山形から館林への国替えが決まったとある。この国替えは、川越藩主だった涼朝が突然老中職を解かれて山形に転封させられた往年の雪辱を果たしただけでなく、もし秋元家がそのまま山形にいたならば、やがて来る倒幕の時流の中で、薩長を中心とした官軍から朝敵として攻撃されたであろう危機を避けたことにもなる。更には、戊辰戦争では官軍側にあって功を上げ、第十一代藩主 秋元礼朝に一万石の賞典があった。おかげで藩士一同にも各二石ずつ加増があったのである。

田山家の家禄について、「戊辰の役の賞典家禄として二石を加えて…」（１５２頁）と、進藤長作が記しているのはこのことを述べている。花袋の祖父 穂弥太は矢貝、岡谷二人の重臣の労苦に対して深い感謝の念を抱いていた。田山家は、明治に入ってからも、岡谷繁寿の孫で館林藩重臣であった繁実と深い関係で結ばれていた。岡谷繁実は、明治に入ってからは「寒香園」（繁実が秋元家の下屋敷を譲り受けて作った茶や梅などの大農園）の経営や「皇朝編年史」等歴史の編纂事業に携わり、また「名将言行録」等多くの著作を残すなど多大な業績があった。繁実は、かつて幕府の長州征伐を回避するための調停に奔走したが、これに失敗、先祖ゆかりの深谷の地で永蟄居を命じられたことがあった。大正八年（一九一九）に八十六歳で波瀾の人生を閉じたが、蟄居の折、地元の人達から温かく迎えられたこともあり、繁実は、この先祖の地を墓地に選び、いまは深谷市清心寺に眠っている。

花袋の兄実弥登や叔父（花袋の叔母まさの夫）横田良太も岡谷繁実の世話になった。明治に入ってからも繁実に仕え、兄実弥登は歴史編纂事業の手助けをし、叔父良太は「寒香園」の管理を任されるなど、その事業の手助けをしたのである。しかし、祖父の穂弥太は、明治に入り武士の時代でなくなり、老いた身で特に為すこともなく、暇つぶしの内職で得た小遣い銭で好きな酒を飲むくらいの楽しみしかなかった。孫の立身に僅かに期待をかけながらの余生を送ったのであろう。上京してからは老妻と二人、おそらくは狭い家に閉じこもるしかない寂しい生活であったと思われる。

小林一郎氏の言にもあるように、花袋は、祖父母の晩年くらいは、せめて郷里館林に舞台を移して描きたかったのであろう。

父鋿十郎のこと

廃藩置県により、諸藩はなくなり、武士の生活基盤である俸禄も出なくなった。まさに晴天の霹靂、大きな社会の変化に戸惑うばかりの武士たちが大勢いた。武士は新たな生き方を模索し、身過ぎ世過ぎのため奔走しなければならなくなった。気力を失い何をする気にもなれない武士もいた。

明治七年（一八七四）一月、花袋の父鋿十郎は、元館林藩士の小野田元熈（当時司法省勤務）を頼って単身東京に出て行き、警視庁の邏卒（巡査）となった。

武士たちは武芸の鍛練をしており、また学問の素養があるため、警察官になったり、新たに学制が定められ各地に出来た学校の教員になる人が多かった。館林藩では鋿十郎のように警察官になる人が多かったようである。警察官がいいぞ、教員がいいぞと誘い合ったりした結果であろう。鋿十郎は戊辰の役でも功績があった人であるから、四等巡査の辞令を受けた後、同じ年に三等、続いて二等巡査の辞令を受け、翌八年には一等巡査へと順調に昇進していった。

〈親子水入らずの生活、そして…〉

明治九年（一八七六）三月五日に、花袋の弟 富弥が誕生した。その年の三月末、まだ生後一カ月足らずの赤ん坊（富弥）と、姉 かつよ、録弥（花袋）は母 てつに連れられて、父 鋿十郎の許へと上京したのである。そして、根岸署に勤務する父と御行 松付近（東京根岸の西蔵院不動堂にあった松の名）に住むことになった。これが花袋（この時、四歳）にとっての最初の上京であった。

祖父母は館林に残ることになったので、祖父 穂弥太と父 鋿十郎の確執もなく、生活も安定しており、母てつにとっては新天地での夫婦、親子水入らずで、心穏やかな最も幸せな時期であった。

兄の実弥登は一足先に上京して旧館林藩重臣の岡谷重実のもとで書生として仕えていた。

しかし、そんな幸せは長くは続かなかった。明治十年（一八七七）二月、西郷隆盛が明治新政府に不満をあらわし、ついに挙兵したのである。西南の役の勃発である。

〈父鋿十郎、西南の役にて没する〉

父 鋿十郎は、娘（花袋の姉 いつ）婿である石井収と共に警視庁別働隊に志願して、政府軍の討伐隊に加わった。武芸にも秀でていた鍋十郎であったから、これぞ立身の絶好の機会として捉えたのであろう。二月十九日に九州出張命令が下り、鍋十郎は二十日に出発した。

留守家族は、根岸の御隠殿付近に転居し、父の無事帰還を待っていたのであるが、その祈りも甲斐なく、熊本県益城郡飯田山で、銃弾に倒れあえなく戦死してしまった。花袋五歳の時であった。

東京では生活できなくなり、花袋は、母、姉、弟と共に館林にもどることになった。

〈四ツ切の写真と母の涙〉

旧居の壁には煤けた西南戦争の錦絵が貼ってあった。花袋の父は不運にも戦死し、「肥後八代横手村」の墓地に葬られた。花袋は子供の頃、母てつからよくその村のことを聞かされていた。

四ツ切の大きな写真が箪笥の底に蔵ってあった。写真には、墓がいくつも並んでいた。

母のてつは、「これがお前の父さんのお墓だよ。父さんは此処に居るんだよ。成長くなったら、行ってご覧?」と、写真を指差しては少年録弥（花袋）に言って聞かせたのであった。

そしてよく、「生きて居るなら、何んなに遠くっても、お金を持って、訪ねて行くけれど、お墓になって居てはねえ…」と言っては涙をこぼしたという。

〈花袋、肥後八代の父の墓参に〉

花袋は、明治四十一年（一九〇八）七月三日、三十六歳の時、念願の父の墓参を果たしている。父が異郷の地で戦死し、埋葬されてから三十年余の歳月が流れていた。花袋は父の墓の前に立った自身の感慨を、『父の墓』という作品に書いている。以下、一部抜粋する。

〈最期のメモと官軍墓地〉

後送された父親の遺留品の中に手帳が一冊あった。成長くなってから私は其手帳を見たことがある。普通の革の手帳で、鉛筆が一本挿してあった。中には日記がつけてあった。

其日記を私は覚えて居る……

「四月十日　昨夜長崎より船にて上陸す。賊軍少々抵抗したれど、忽ちにして退散す。気候暖かし。晴。／十一日　八代にて昼食。士民官軍を喜び迎う。甲佐方面に賊軍本営を置くとの説あり。菜の花既に盛を過ぐ。／十二日　曇　進軍／十三日　晴／十四日　晴」

これで後は白くなっている。十四日の午後、御船付近の戦争で、父は胸に弾丸を受けて、死屍となって野に横たわったのである。十四日晴…と書いて、後が何も書いていないということが少なからず人々を悲しませた。私も悲しかった。私は今年三十八（満三十六歳）である。父親が海を越えてこの遠い九州の野に来た年齢と殆ど同じである。私は三十年前、死ぬ四日前に此処に来た父親の心を考えずには居られなかった。

街道の傍に「官軍改修墓地」といふ木標が立っていたが、風雨に晒されて字も読めぬ位に古びていた。老爺は門の鍵を開けた。幼い頃見た写真がすぐ思い出された。けれど想像とは丸で違って居た。

野梅（やばい）の若木が二三本処々（ところどころ）に立って居るばかり、他に樹木とてはない（ママ）ので、何だか墓のような気がしなかった。墓地の土は夏の日に照されて、白く乾いて、どんな微（かす）かな風にもすぐ埃（ちり）が立ちそうである。私の記憶も矢張りこの白い土のように乾（かわ）いて居た。数多い墓の中から、漸（ようや）く父の墓を探し出して其前に立った。墓は小さな石で、表面に姓名、裏に戦死した年月日と場所とが刻んであった。（略）私は墓の前に跪（ひざまず）いた。私はジッとして墓の前に立って居た。いろいろな顔や、いろいろな舞台が早く眼の前を過ぎた。父の若かった時のことから、自分の児（こ）の死ぬ時までのことが直線を為（な）して見えるように思われる。

兄 実弥登のこと

兄実弥登（みやと）は田山家の総領として、家を支える義務を背負わされていた。

明治十九年（一八八六）四月に、実弥登が、旧館林藩重臣の岡谷繁実（おかのやしげざね）の縁故により修史館（後の東大史料編纂所）に就職が決まると、それを待っていたかのように、同年七月十四日には、祖父 穂弥太、祖母 いく、母 てつ、録弥（ろくや）（花袋）、弟 富弥の一家五人が実弥登のもとに上京して行ったのである。そして、牛込区市ケ谷富久町に一緒に住むようになった。

これまでは、館林の地で、幾ばくかの蓄（たくわ）えと、母のてつの針仕事の内職などで細々と糊口（ここう）をしのいできた。一日も早く実弥登が就職をして、東京に呼んでくれる日を心待ちにしていたのであった。

〈実弥登の苦労〉

次男の録弥（花袋）はまだ兄のすねをかじりながらの生活で、軍人を目指して「東京速成学館」に学ぶことになった。実弥登は心細い財布から学費を出すしかなかった。しかし、明治二十一年（一八八八）、四月、録弥（花袋）は、せっかく学校で勉強したのであるが、身体的理由で陸軍幼年学校の受験に失敗した。

母は、「早く仕事をしてお金が取れるようになってくれ」と愚痴るのであるが、録弥（花袋）は、軍人の道をあきらめて「日本英学館（後の明治会学館）」に入学し、英語を学ぶようになる。西洋文学に触れるようになった頃で、英語を勉強したいと強く思っていたのであろう。その後、実弥登は、明治二十二年（一八八九）、二月、牛込区納戸町一三番地に転居。従妹の横田とみと結婚をするが、翌年、臨時編年史編纂掛の職を罷免されてしまう。さらには、気難しい母 てつとの確執もあり、とみは悩んで病気がちになり、明治二十四年に長男真鉄を出産した際、死去するという不幸に見舞われた。

田山実弥登
〔田山花袋記念文学館提供〕

再び岡谷繁実のもとで書生として藩史編纂の手伝いをしていたが、震災予防調査会から嘱託の辞令が出てほっと一息ついた。明治二十七年（一八九四）十一月、実弥登は川村ことと再婚した。また、兄録弥の雪辱を果たすように、弟 富弥が陸軍士官学校に合格し進学した。

翌二十八年には、実弥登が東京帝国大学より史料編纂助員（給料二十二円）の辞令を受け、この頃は田山家にとってめでたいことが重なった。

しかし、明治三十年（一八九七）、三月十日、妻のことが次男千秋を出産したものの、千秋を添い寝している時に窒息死させてしまうという不幸が起きて、このことにより、実弥登はことと離縁するはめになった。母の強い性格が出て、ことは責められ、実弥登もこの母の怒りに抗しきれなかったのであろう。二年後の明治三十二年（一八九九）、五月、実弥登は長坂としと結婚する。母と妻の間で板挟みの苦労がさらに続くことになる。そうこうするうちに、母 てつは同年八月十九日、腸癌のため享年六十一歳で死去した。

この母と兄、兄嫁との対立を見続けてきた花袋は、その苦悩の生活を赤裸々に描いた。この作品が、花袋の三部作（『生』・『妻』・『縁』）の最初の作品『生』である。母が底意地の悪い姑のように読者から思われることには、さすがに辛く慙愧の念に堪えないところがあった。

兄 実弥登は、田山家総領として一身に苦労を背負い続けた。母と妻の確執に苦しみ続け、また才能を生かしきれぬまま、明治四十年（一九〇七）十一月九日、結核のため死去した。享年四十三歳。

〈兄に漢詩・和歌を学ぶ〉

「私は兄に就いて漢詩や和歌を学んだ。」と花袋が述べているように、兄 実弥登は学識も高く花袋に漢詩や和歌の手ほどきをした。花袋が文学を志向した背景には兄の影響が少なからずあったと思われる。この兄も花袋の文学上の恩人の一人であった。

進藤長作氏は、『田山花袋の少年時代』の中において『兄 実弥登のこと』という見出しで、「余の記憶する所では兄実弥登なる人は温厚篤実で早くも上京旧藩中の家柄高く国学、漢書歴史を博識なる先輩岡谷繁実氏方に寄寓し師事研究を遂げ、後に帝国大学中に設けある史料編輯を従事する岡谷氏の部下となり、之に従事せり。館林町招魂社の三十年祭執行の祭文を奉上なせし時の文章の実に立派なりしことは参列者の一同敬服せしことを覚ゆ。」とあり、実弥登がいかに勤勉で、学識が高かったかが記されている。

〈『残雪』に見る兄の死への思い〉

花袋は『残雪』の中で、「不如意と不遇と貧窮との中に正しいしかし惨めな一生を背景にして死んだ」兄に対して主人公の哲太にこう叫ばせる。「弱き者は死せよ、人生の重荷に耐えられない者は遠慮なく死せよ。（略）兄よ、死せる兄よ、再び世に生まれん時は、強者の血を持って来たれ。」、「その言葉の終わらないうちに涙は滂沱として流れた」とある。

才能のあった兄が才能を生かしきれないままに、報われることもなく死んで行ったことにやりきれない花袋の無念の思いがにじみ出ている。

2　ふる郷館林の風景

尾曳稲荷神社

令和元年秋頃、筆者は、田山花袋（本名 録弥）が子供の頃、幼な友達の進藤長作らとよく遊んだという館林市の尾曳稲荷神社（土地の人は「尾曳神社」とも言う）に出かけた。

尾曳稲荷神社

文豪田山花袋が終生忘れることのなかったふる郷の光景、館林城址や城沼を自分の目で見、歩いてみたいと思ったからである。

尾曳稲荷神社の前に市営駐車場があり、そこから城沼の畔に出ると、城沼の景色を眺めながら遊歩道が続いている。花袋の生家は、かつてこの城沼の畔、外伴木と呼ばれた武家屋敷の中の一軒であった。中流階級の武士の家族たちが住んでいた。当時、生家の目の前には城沼の水面が広がっていた。尾曳稲荷神社はこの外伴木にあった武家屋敷から近い所にあり、境内は大変広く花袋ら子供たちにとっては恰好の遊び場所であった。

〈黄楊の木〉

花袋らが学んだ館林藩の儒者吉田陋軒の私塾「休々草堂」の家の

尾曳稲荷神社境内 黄楊の木

前にあったという黄楊の木が尾曳稲荷神社の境内に移植されている。少年録弥（花袋）ら子供達が、その木に登って遊び、陋軒先生にこっぴどく叱られたという逸話がある。一度に何人もの子供達が登れた黄楊とはいったいどれほどの大きさであったのか、興味をそそられたが、実は現存する木は、花袋らの登った黄楊の樹ではなく、そのひこばえ（根元から芽を出した木）であるとのことである。それでも年代を経ていてかなり大きいものであった。

ちょうど尾曳稲荷神社の禰宜がおられ、「黄楊の枝に洞ができて水が溜まって枯れてしまったので、枯れた枝を伐り取りました」と教えていただいた。もし、そのままにしておいたら樹木全体が枯れてしまうので仕方なく伐ったそうであるが、枝の切り口を見て、この太枝がもし残っていたならば、現在の木の倍の高さはあったとのことである。黄楊としてはかなりの大木である。

子どもたちが登ったりぶら下がったりして遊んだ様子が想像できた。

『田山花袋の少年時代』に、黄楊の木に関する記述がある。現代語訳（筆者訳）にて記す。

「先生の家の前の道端に大きな黄楊の木があり、その太い枝は四方八方に拡がっていて、枝から枝へ伝わって行くことが出来た。この木の上で鬼ごっこなどをしてよく遊んだ。ある時、塩谷君が『先生がお留守だからお帰りになるまで、黄楊の木の上に登って遊ぼう』と言うと、花袋君が『それでは、今日の習う順番を、下のほうの枝にぶら下って、（地面に足がつかずに）うまくまっすぐにぶら下がれた者が一番先に習うというのはどうだろうか』という提案をして、皆も賛成した。二人はうまく下ったが、自分は臆病のため、一度に両手を離せばよいのに片手を離したため中心を失い下に横倒しに落ちて強く胸を打ってしまい、その痛みが激しく全く困りぬいた。」という内容である。

小学校上級の子供達が陋軒先生の教えを受ける順番は、塾に到着した順ということになっていたので、学校が終わると我先に先生のお宅まで駈足で行く者が多かった。

この時は、録弥少年（花袋）が提案して、一番下の枝にうまくぶら下がった者から先に習うことにしようということになったが、長作はバランスを崩して地面に落ちて胸を強く打ってしまい、このことが先生に露見して厳しく叱られたということである。

それにしても、競って教えを乞おうとする少年達の勉学への意欲には感心させられる。

〈陋軒先生の「休々草堂」での学習〉

吉田陋軒は藩士に儒学を教授してきた人である。現在の小学校高学年に相当する子供達がどんな学習をしたのであろうか。進藤長作によれば、「四書五経」、「十八史略」、「蒙求」、「小学」、「文章軌範」、「春秋左氏伝」、「八大家文」、「唐詩選」、「三体詩」等々の漢書であったという。学力のある者はどんどん上の本を読むといった具合で、花袋はその筆頭格であったという。現在ならば文学専攻の大学生でもこれらを読むことはそうないだろう。子供（小学生）の頃の漢学の素養が、その後、花袋が文学を志し小説等を書く上での基盤となっていくのである。

余談であるが、ある時、幸田露伴が娘の幸田文に大学で今何を読んでいるのかと訊くと、文は「十八史略」を読んでいますと答えた。すると、露伴は鼻先で笑い、「十八史略なんぞ、子供の時分、芋を食いながら寝そべって読んだもんだ。」と嘆いたというが、当時の漢学塾などでは、子供達が相当高度な勉強をしていたことがわかる逸話である。花袋らもそんな環境で高度な学習をしたのである。

明治時代の漢学塾というのは元藩校の儒学者が教授することも珍しくなく、厳しい指導が行われたのであった。少年録弥（花袋）が漢詩文を読んだり書いたりできたのはこうした学習のお陰である。

〈尾曳稲荷神社宮司のお話〉

禰宜の父 田島義利宮司が境内に出て来られて、いろいろお話をうかがうことができた。

尾曳稲荷神社は大変由緒があり、広い境内には歴史を物語る記念物や石碑などが見受けられる。社務所の前に一際大きな石碑が建っているのが気になり、宮司に質問したところ、「館林は、美智子上皇后様の先祖や祖父が生れ育った土地でしたから、戦時中、美智子様は、館林に疎開されておりました。同じ地区の人は、子どもの頃の美智子様の姿を見かけたり、話したりした人もおりまして、美智子様が皇太子妃になられた時は、それこそ館林の人達は大変な喜びようでした。それで、当時の総代長が皆さんに呼びかけて、御成婚の祝賀の記念に建てたものなんです。」と説明してくれた。

〈花袋の歌碑〉

そんなお話をお聞きしながら、境内を散策していると、田山花袋ゆかりの石碑の前に来ていた。

「田山花袋歌碑」
〔尾曳稲荷神社境内〕

その歌碑には、花袋にとって忘れることのできない、懐かしい城沼の情景を詠んだ歌が刻まれていた。「田とすかれ畑と打れてよしきりのすまずなりたる沼ぞかなしき」という歌である。

花袋が幼少期からの親友 進藤長作に送った歌である。城沼の変遷を知った上で、花袋の歌に向き合えばその意が充分に理解できよう。

花袋がしばらくぶりに郷里に帰って来てみれば、生家のあった城沼の畔の葦原（あしはら）は、士族授産事業により城沼の開墾が行われ埋め立てられていた。すっかり田畑に変貌していたのである。

士族の生活を救援するために旧藩主の秋元氏が尽力したのである。しかし、そのためにヨシキリの棲（す）みかもなくなってしまい、「キッキッキッ ギョギョギョギョ チッチッチッ クィクィクィ…」といった七変化する、甲高（かんだか）くも懐かしい鳴き声が聞こえなくなって、沼の様子がなんともさびしく哀しく思われるというのである。ヨシキリは雀によく似た小鳥であるが、水辺で飛んでいるだけに嘴（くちばし）が鋭い。

〈進藤長作と尾曳稲荷神社〉

筆者が、「進藤長作という花袋の幼な友達が『田山花袋の少年時代』という本を著していて、花袋と少年時代によく一緒に遊んだということが書いてありましたが、進藤長作さんについて何かご存知ですか」とお尋ねしたところ、「進藤長作は私の曽祖父（ひいじいさん）ですよ。この尾曳稲荷神社の宮司でした」とのことで、「ええっ、そうでしたか」と驚いてしまった。

なんでも進藤長作は、小学校長を歴任し、大正十二年に教職を退職した。その後、この尾曳稲荷神社の宮司を務めていたということであった。姓が異なるのは、長作の長女ふさ（田島宮司の祖母）の夫（田島多平氏）がやはり小学校長だった人で、将来嘱望されていたのだが、その職を辞し、神社に入り後を継いで宮司になったからであった。

田島宮司は、「曽祖父は、花袋一家が東京に行くのを渡船場まで見送ったようです。」とお話された。長作が花袋を見送ったことは「渡良瀬川渡船の別れ」という見出しで、「田山花袋の少年時代」の中にも記されているが、早川田渡船場まで見送ったのは長作少年ひとりだった。親戚や知人は館林の町内で見送ったようである。

筆者は、令和三年一月、尾曳稲荷神社に伺い、田島宮司さんと再度お会いしお話を伺った。田山花袋歌碑除幕式（昭和24年）のことなどお聞きしたかったこともあった。これについては写真も掲載し後述することにしたい。

宮司さんが、「実は昨年の七月に社殿の屋根の銅板を全面葺き替えしたんです。この社殿を建てたのは、昭和十二年で、曽祖父、長作の時なんです。」とお話された。進藤長作氏は尾曳稲荷神社の歴史の中でも大事業を成した人であった。東武鉄道からの寄進があり、また、当時の総代長たちが尽力し出来上がったということであった。そして、八十年を経て現宮司がその社殿の銅板屋根の全面葺き替えを行ったのであった。

館林城址

館林城の歴史について、「近世館林藩の大名」（館林市教育委員会文化振興課編・昭63）を参考にその概要をまとめてみたい。

館林城の歴史は、大きく中世（戦国時代）と近世（江戸時代）に分けられるが、中世の資料は乏しく諸説あって、築城の時期については不明な点が多いようである。

近世の館林城は、途中断絶の時期もあったが、幕藩体制下約三百年にわたり、七家十七代がその藩政を担（にな）ってきた。

館林城は、榊原康政、徳川綱吉をはじめとする譜代・親藩の居城となった。徳川幕府が瓦解（がかい）すると共に館林藩は廃藩となり、田山家が代々仕えてきた秋元家は、最後の藩主となったのである。

花袋の作品「ふる郷」にも館林城の栄華の時代の城の様子が描写されているが、明治七年（一八七四）の大火で城郭（じょうかく）の大半を焼失した。本丸御殿、その天守閣の豪壮典雅（ごうそうてんが）な様は眩（まばゆ）いほどであったと、母が追憶する場面があるが、この火事によってすべてが消滅してしまった。

花袋は、『幼き頃のスケッチ』の中で、館林城址について追憶している。現代語訳（筆者訳）で記す。

館林城址 土橋門

〈館林城焼失〉

城が焼けたのは、私の五歳（実際は数え四歳、満二歳）の時で、西風の盛んに吹く日であった。なにがしという家柄の家の子供が、障子のそばで母親の言うことを聞かずに火いたずらをしていた。たちまちにして火が障子に移った。アナヤという暇もなく火は家の中にまわった。立派な邸宅はそれからそれへと焼けて行って、火はついに新御殿（しんごでん）に及んだ。消防の術も至らず、水も沢山になかった当時にあっては、烈風（れっぷう）の火を煽（あお）る壮観をみているばかりで、どうすることも出来なかった。私の家では、その時祖父も父も東京に出ていて留守であった。母は三人の子供と老いた盲目の祖母とを抱えてまごまごしていた。昼の火事ではあるが、見ていると、黒煙がもくもくと天に漲（みなぎ）って、その凄（すさま）じさは言うばかりもない。やれ三の丸に移ったとか、本丸が危いとか言う声が頻々（ひんぴん）として耳を打った。幸いにして、火は本丸から沼の方へと出た。私の家は焼け残った。

その火事は封建時代の栄華の最後をほろぼし尽したようなものであった。

〈荒れはてた城址〉

城址（しろあと）は後には私たちの遊び場所となった。荒れはてた城址――そこには真竹（まだけ）の藪（やぶ）があって、私たちはよく筍（たけのこ）を採（と）りに行った。草が一面にしげって、路（みち）もわからなくなっていた。濠（ほり）の水は、草や木の中から薄暗く光った。岸には藺（い）がツンツン生えていた。

城址には隠れた獲物が沢山あった。葡萄（ぶどう）、草ぼけの実、ぐみの実、虎杖（いたどり）――春先にはのびるが多く出た。山芋を掘りに行く人もあった。（略）草や樹（き）を映した濠（ほり）の水は、封建時代の栄華を夢見るように見えた。三の丸の門の址には、土手が赤い膚(はだ)を見せていた。大きな石もごろごろ転がっていた。（略）母親や祖父の語って聞かせてくれた物語はうそのようであった。つい十三、四年前まであった栄華がそう早く滅びてしまおうとはちょっと思われなかった。大きな樹の多かった城で、お国替えで始めてここに来た時には、人々はその外観の見事なのに驚いたという。

このように館林城の焼失、その後の荒れはてた城址についての記述が見られる。

現在は昔の栄華の時代を偲ぶよすがもないが、尾曳稲荷神社には、館林城の栄華の時代を偲ばせる絵馬「尾曳城(おびきじょう)の図」が伝えられている。今となっては、「尾曳城の図」に描かれた城の景色を想像してみるほかはない。

城　沼

花袋は幼少時、城沼(じょうぬま)の畔の生家で生活した。いつも目の前に城沼の光景があった。東西に細長い沼である。葦蘆(よし)が生い茂り、母から聞かされたズホンの鳥という不気味な怪物が棲んでいるという話もあり、また菱(ひし)の実、蓮の実、蓮の花、じゅんさい、漁師の魚籠(びく)の中には、金色の鰭(ひれ)をびくびくさせた大きな鯉やゴチャゴチャ動いているどじょう…など種々なものがあり、録弥（花袋）にとって沼は恵みをもたらし、かつ神秘の魅力にあふれていた。

しかし、明治十六年ごろから田畑造成のため、岸辺が埋め立てられ、景色がすっかり変わってしまっ

館林市 城沼〔尾曳橋より撮影〕

た。葦原も消え、毎朝うるさいほどに鳴いていたヨシキリもどこかへ姿を消してしまった。

沼の面積は以前の二分の一くらいに縮小したという。さらには、現在では、花袋が幼少の頃の三分の一ほどになってしまった。

花袋は、ものを見る眼がしっかりしていて、感じる心も子供の頃から人一倍溢れていた。「幼き頃のスケッチ」や「ふる郷」等には城沼に関する記述が多い。

花袋と城沼とは切っても切れない深い関係がある。子供の頃いつも目の前にあった沼であり、見つめていた沼である。花袋は、明治十八年（一八八五）、十三歳の時に、漢詩集『城沼四時雑詠』（漢詩六三首）を編んでいる。

花袋は、この沼を想う時、家族や、友達との数々の思い出が去来し、自然と涙が湧き出たという。追懐の情があふれて来るのであった。

武士の没落と城下の変貌

新しい時代の幕開け、武士の世の終わりによって、田山家の生活は一変した。廃藩により田山家は職を失い、父鋿十郎は上京し警視庁巡査の職についた。新政府は廃藩置県を施行するに当たっては「秩禄公債」を発行した。武士たちは拠り所である「藩」を失ってしまったのであるが、当面の生活資金としての、いわば失業手当が支給されたのである。これを資金にして商売を始めた武士もいた。しかし、慣れない商売で失敗に終わった武士も少なくなかった。武家の商法と言われ、嘲笑された。二本ざしの誇りはどこへやら風に飛ばされてしまった。

　秩禄公債は、長期的に見れば悠長に暮らせるほど満たされた金ではなかったが、短期的に見れば大金であった。持ちつけない金を持って、茶屋遊びなど酒色に耽ったり、だらだらと無駄遣いをして、あっという間に使い果たして途方にくれる武士もいた。

「刀をささせないとは余りだ。」

「刀を捨てて町人と同じになれとは情けないお布令だ。」

　こういう声が彼方でも此方でもきこえた。髪を断つのは一層それよりも辛かったと、花袋の『時は過ぎゆく』の中にあるが、これは多くの武士の声であったろう。

　しかし、時代は変わった。意識を切り替え、多くの武士は現実に向き合い、新たな生活の糧を求めて汲々としていた。時代の激変についていけず右往左往するばかりで、心を病み廃人のようになってしまった武士もいたという。録弥（花袋）少年の目は、武士たちの没落していく様を強い関心を持って追いかけていた。館林藩の武士たちの実態を通して深く考えさせられるものがあった。

　それは他人ごとではなく、身近な問題でもあったからである。実際、田山家没落の有様が目の前にあったのである。

館林城が燦然と輝いていた時代は今は昔の話で、花袋の目には館林の町が沈滞して見えた。

3　少年録弥の勉学

明治十五年（一八八二）、録弥（花袋）は「有隣堂」という書店で丁稚奉公をしていたが、過ちを犯し解雇されることになった。録弥は館林に戻り、館林東学校に復学することになった。

「朝食前に裏宿に住んでおられた和算の戸泉鋼作先生の許に行き算術を学んだ。朝食後、すぐに小学校に登校、授業が終ると同時に漢学の書物を持って、儒者吉田陋軒先生の塾に行き、漢籍を学んだ。当時の小学生は皆、こうして勉学に励み、日が短い頃は、朝早くから夕方になるまで全く遊ぶ暇も無かったのである。」と進藤長作著『田山花袋の少年時代』の中の「帰郷後の勉学」に記されている。また、時々帰省した兄実弥登からも漢詩作法などを学んだ。花袋は十一歳であった。

花袋の少年時代について、いつも一緒にいた進藤長作ほど当時の様子を語れる人はいないであろう。続いて、「花袋君勉学の有様」と題した文章から現代語訳（筆者訳）引用してみたい。

「吉田陋軒先生の塾において先生はお一人だけ、生徒たちは遠くは岩田、南大島や当郷新田などから通学する者や、館林全町より通学する者たちは凡そ四、五十人もいたので、上級の者が下級の者に教える決まりがあった。そして、上級の者は自宅で下読みをしてきて、順番に先生の前で音読することになっていた。誤りがあれば、いつも、すぐに先生が間違いを正してくださった。だから、頭のよいものはどんどん人を乗り越えて、上級の本を読んだりした。花袋君は上級組の方にいた。

花袋君が多くの書を読んでいることについては当時の同輩たちが皆敬服していたところである。

〈「頴才新誌」への投稿〉

花袋は、兄 実弥登の指導を受け、漢詩を作り始めた。先述の通り、『城沼四時雑詠』と題する漢詩集を編(あ)んだ。そして、その頃創刊された「頴才新誌(えいさいしんし)」に漢詩を投稿するようになり、初めて雑誌に掲載された。

花袋の文学的素養は、館林時代からすでに、漢学によって開花していたのであった。

「頴才新誌」は明治十年（一八七七）三月に創刊された全国の青少年向けの投稿雑誌であった。花袋は、この雑誌を、自作の和歌や漢詩の発表の場として、また力試しの場として、明治十八年（一八八五）からおよそ二十四年ごろまで投稿し続けていた。

明治十九年（一八八六）、兄 実弥登が修史館（後の東大史料編纂所）に就職したのを機に、一家全員で上京した。花袋にとっては三度目の上京であった。上京してからも「頴才新誌」の投書は続けていた。この頃には、「頴才新誌」は毎週土曜日に発行されるようになっていた。雑誌の発行日には、自分の投書した作品が掲載されたかどうかが気になって、牛込区市ヶ谷富久町の住居から四谷の大通りの錦絵双子(にしきえぞうし)店まで遠い路を歩いて行ったという。

「ところが、それが旨く店頭に並べてあれば、自分の作品が出たか出なかったか確認できたが、運悪く錦絵と交ぜてはさんである時はそれができないで大いに困った。一度取って貰ったのを買わずに帰り、亭主に睨まれたことは一度や二度ではなかった」と、花袋は『東京の三十年』の中で書いている。

〈花袋の文学の始め「城沼四時雑詠」について〉

『城沼四時雑詠』は、明治十九年（一八八六）、花袋十六歳の時に編集された毛筆自筆本の漢詩集である。兄 実弥登から漢詩作法を学んだのが十三歳の時であり、「頴才新詩」に初めて投稿の漢詩が掲載されたのが十五歳の時である。「汲古」という号を用いて投稿した。全国の文学少年が投稿した雑誌であり、相当な水準に達していないと掲載には至らなかったようである。「城沼四時雑詠」はそんな文学修業の初期の成果が収められている。

城沼や躑躅ヶ岡などの四季の景色を叙した漢詩で、春二十八首、夏十七首、秋十首、冬八首の計六十三首である。現在で言えば中学生くらいの少年録弥（花袋）が汲古と号して作ったものである。大人ふうに背伸びしたような印象を受けるが、兄が漢詩の基本、韻律や対句等の修辞法を含め徹底して指導したのだと察せられる。

それにしても、十三、四歳の少年が、あれだけの漢語を駆使し、秀れた観察眼をもって情景や心情を表現できるということには驚嘆させられる。録弥少年（花袋）の秀れた観察眼を示す一例として、例えば「城沼賞月」と題した七言絶句がある。「田山花袋記念館研究紀要 第9号」所収の「田山花袋（汲古）著作 漢詩集『城沼四時雑詠（三）』」を参照し説明しておきたい。

「芦花如雪眼辺寛　沼色如銀月色寒　惜是秋時三五夜　漁翁恐作等閑看」

芦花雪のごとく眼辺に寛かにして　沼色銀のごとくして月色寒し　惜しむらくは是れ秋時の三五夜なるに漁翁恐らくは等閑*看るを作さん

＊等閑（とうかん）…なおざり。いいかげんなさま。

秋の三五夜（十五夜）の美しさをしみじみ観賞する作者（少年 花袋）と対照的に、第四句において、漁（りょう）に忙しく月など見ているどころではないといった、無粋（ぶすい）な、というよりは生活に追われる漁翁（漁師のおじさんたち）の姿を映し出している。「自然の美」と「生活の現実」を対比させるなど、少年とは思えぬ着眼であり観察力である。

漢学塾「休々草堂」と恩師 吉田陋軒

吉田陋軒（ろうけん）について、『田山花袋の少年時代』の註釈に「文政六年（一八二三）八月、山形で生まれた。秋元藩の儒者。山形以来、在職三十年藩学を教授した。藩学をやめる前から近隣の子弟を集めて漢籍を講じた。藩学をやめてからは、自宅を私塾として『休々草堂』と称した。少年花袋が小学校の放課後通った塾である。明治二十年（一八八七）七月の『館林紀行』の中には花袋が恩師陋軒の墓に詣でて涙を流したことが書かれてある。明治十九年二月、享年六十四歳で没した。」（筆者 訳）とある。

吉田陋軒は花袋の少年時代の恩師である。花袋の漢学の基礎は、陋軒の漢学塾「休々草堂（きゅうきゅうそうどう）」でみっちり指導され養われた。花袋はこの頃、作家として身を立てようとまで思っていなかったであろうが、当時作家の資質として漢学の素養は不可欠であった。それほどに文章を書く上で漢学の知識・教養は大事なものであった。

鷗外、漱石はじめ、当時の作家の多くは並々ならぬ漢学の素養があった。それは少年時代に、漢学塾などで徹底的に修学しているためである。

花袋は、十一、二歳頃から四書五経をはじめ多くの漢詩文を陋軒に学び、お陰で漢学の力を身につけることができた。陋軒は、漢学の基礎を花袋に授けてくれた恩人であると言える。その吉田陋軒の墓は館林市の善長寺にある。

吉田陋軒墓〔館林市 善長寺〕

第二章　作家への道

1　青雲の志に燃えて

貧しき東京生活

明治十九年（一八八六）、花袋は十四歳になった。四月、兄 実弥登（みやと）が、館林藩の重職にあった岡谷（おかのや）繁実（しげざね）の世話で、修史館（後の東大史料編纂所（へんさんじょ））に就職することができた。

父 鋿十郎（しょうじゅうろう）が西南戦争で戦死してからというもの、田山家の経済状態は次第に苦しくなっており、内職でなんとか家計を支えてきた母 てつは長男 実弥登の就職を待ち望んでいたのである。

実弥登には家長としての責任がずっしりとのしかかって来た。

今度は、祖父母も一緒に一家全員で東京の実弥登のところに身を寄せることになった。七月十四日に出発することになり、親戚、知人に挨拶をし、館林の家は、祖父 穂弥太の姉の夫、程原要三郎に売却した。その証文は現在でも「田山花袋記念文学館」に保管されている。

〈渡良瀬川渡船の別れ〉

田山家がこの時上京して行く様子は、花袋の小説『朝』にも描かれている。渡船場から帆船（はんせん）（和船）に家財道具を詰め込み、その隙間に一家が坐るといった具合で、その船旅は三日を要したとある。酒好きの祖父 穂弥太は家財道具の隙間で酒をチビチビ飲みながら、家族たちはうつりゆく景色を眺めながらの船旅であったと小説に書かれている。

実際のところは、進藤長作氏の著書に「渡良瀬川渡船の別れ」と見出しがあり、「其の当時は渡良瀬川に通運丸外一艘の蒸気船ありて、早川田より人や荷物を載せ、東京に往復せり。悠々出発するに臨み、早川田渡船場にて見送りしは余、一人なりし。乗客全部乗り移るや船は進行し、余は船の尾の見えなくなるまで見送り、帰路は、全く親しき友に別れたることの悲しく覚えず落涙しつつ家に帰りしことは今、尚眼中にあり。」とあるように、渡良瀬川の早川田渡船場から蒸気船に乗って行ったと考えられる。渡良瀬川は栗橋で利根川と合流し、そこから利根川に入り、さらに江戸川を進み東京に向かった。そして、「日本橋の小綱町に於て船から上った」と、『時は過ぎゆく』にある。

〈貧しき東京生活の始まり〉

上京は、花袋にとって三度目になる。牛込区市ヶ谷富久町の兄 実弥登の住む狭い家に同居することになった。実弥登の薄給に頼る田山家の貧しい東京暮らしが始まったのである。

この後、花袋は牛込界隈で幾度も転居する。

東京での住居の変遷を「定本花袋全集」の年譜で確認すると、①牛込区市ヶ谷富久町（明19・7〜22・2）、②同 納戸町（明22・2〜22・12）、③同 市ヶ谷甲良町（明22・12〜26・6）、④同 市ヶ谷薬王寺前町（明26・6〜同・8 一人転居）、⑤四谷区内藤町（明26・8〜29・1）、⑥牛込区喜久井町（明29・1〜35・6）、⑦同 納戸町（明35・6〜同・9）、⑧同 原町（明35・9〜36・10 放火されボヤに）、⑨同 若松町（明36・12〜37・11）、⑩同 弁天町（明37・11〜38・6）、⑪同 北山伏町（明38・6〜39・12）、⑫豊多摩郡代々幡村大字代々木（明

38・12〜昭5・5逝去）である。

当時まだ、野中の一軒家といった趣であった代々木に家を建ててからは、ここが花袋の終の棲家となった。花袋は、最初の富久町を含め十二回住居を移り住んだことになる。そのほとんどが牛込界隈であった。

この牛込界隈に住んでいたことが、この先、花袋が文学で身を立てる上で、偶然にも大きなきっかけを作ることになる。

この地にはなぜか文人も多く文学風土があった。当時の文壇の大家 尾崎紅葉、江見水蔭はじめ花袋の交流につながる作家が牛込に住んでいたのである。

代々木の花袋住居跡の標柱

〈陸軍幼年学校受験の失敗〉

花袋は軍人を目指して、「東京速成学館」に学ぶようになった。田山家は落魄したとはいえ武士の家柄、軍人となって出世してほしいと、兄をはじめ、祖父母、母の期待もあったのであろう。

花袋は、陸軍幼年学校を受験したが、身体上の理由で不合格となってしまった。後に弟の富弥が、見事陸軍士官学校に入学、軍人としても出世をし、花袋に代わって雪辱を果たすことになる。花袋にとっては、この不合格はむしろ幸いであったろう。軍人になっていたら、恐らく文学への道に進む機会もなく、「花袋」は存在しなかった。

恩人 野島金八郎との交友

野島金八郎は同郷、館林の人である。花袋は、この野島金八郎から大きな影響を受けることになる。兄から漢詩や和歌を学び、吉田陋軒(ろうけん)の漢学塾で漢学を学んだ花袋であったが、野島と交際することにより、西洋文学に触れるようになった。これまで出会ったことのない精緻(せいち)な描写、繊細な表現等に強烈なカルチャーショックを受けた。そして、文章表現、文体ということを深く考えるようになっていく。

〈西洋文学との出会い〉

日本近代文学大系19「田山花袋集」(角川書店)の和田謹吾氏(以下、和田謹吾氏と記す)の解説によれば、「野島金八郎の書斎からは『ヴィクトル・ユーゴオ、アレキサンダー・デュマ、つづいてウィルキー・コリンス、チャアルス・ヂッケンス』などを借り出して片端から読んだ。」とある。

野島金八郎は西洋文学に花袋を導いた恩人であると言ってよい。

そして更に、ハウプトマン、イプセン、モーパッサン、トルストイ、ユイスマンス、ツルゲーネフ、ゾラ…といった作家の作品を読み漁(あさ)り、そこから学び取ったことが、その後の花袋文学に大きな影響をもたらすことになる。

『東京の三十年』によれば、「家庭も好(よ)い家庭であった。昔風のよく働くあいその好い母親、厳格な背の高い父親、二人とも戦死した私の父親とは別懇(べっこん)にしていたので、孤児の私たちを気の毒とも思ったのであろう。行くと、親類か何ぞのように常に私を歓待してくれた。私がすり減らしてかかとに土の付くようになった駒下駄をはいて行くと、その母親は、『録ちゃん、古いのがあるから、これにおしよ。』と言って、その友達の中古の駒下駄と取換えてくれた。」と野島金八郎の家庭について書いている。

さらに野島家の書斎のことが書かれている。概略を記すと、「野島家の書斎には、なかなか手に入らない西洋文学の本がたくさん書棚に並んでいた。この書斎を自分の書斎のようにして入って行き、片っ端から本を引張り出して来ては、読んでいた。野島から、『君は豪い。よく読むな……。』と褒められるのも嬉しく、それが当たり前になって野島がいない時でも、勝手に書斎に入って本を借りて来るようになった。ある日、そのことが野島の父親にわかり、『他人の家の書斎に入って、本を黙って持ち出して行く奴があるか。』と怒鳴られてしまった。（花袋は）面喰らいながらも、怒鳴られたのは腹立たしく思った。そこに母親が来てとりなしてくれたが、黙って低頭るばかり、情けなくもあり哀しくもあり、それ以来、野島家の書斎には行かなくなった。ともかくも、野島家の書斎や、上野の図書館で、井原西鶴や近松門左衛門、そして西洋文学の本などを読み漁り、文学の基礎を養っていった。」と野島家での西洋文学との出会い、節度を失して叱責されたこと等について記述している。

しかし、野島との交友から西洋文学に触れるようになり、花袋の文学観、自然観に大きな影響がもたらされた。野島金八郎は花袋が文学の道に進む上での恩人といっても過言ではない。

和歌の師、松浦辰男門下に

花袋は、桂園派直系の歌人、松浦辰男に入門して和歌を学ぶようになった。花袋、十七歳の頃である。花袋が和歌を学ぼうと思ったのは必然であったかも知れない。父 鋿十郎が和歌をたしなみ、田山家には歌の本が沢山あった。明治初年の勅題に当選したことがあったとのことである。

花袋の『東京の三十年』の「卯の花の垣」には次のように書かれている。

「私の歌の師匠は松浦辰男先生であった。桂園の直系、香川景恒の門下で、景樹には師事しなかったが、その晩年の高弟松波遊山（資之）とは殊に交際が深かった。名聞を好まなかった師匠の名は、今日では誰も知る人はあるまい、特殊の歌道の人でない限りは……。しかし私はその師匠の人格と歌論とには、尠なからざる影響と感化とを受けた。（略）当時四十五、六であった先生に取っては、一日歴史研究に大学に勤めて来られる先生に取っては、私たち若いものが不断に訪問して行くということは、一方ならぬ迷惑であったに相違なかった。しかし先生はそれを少しも面に現わさずに、諄々として教えて下すった。『歌はことはるものにあらず、調ぶるものなり。』これは桂園の唯一の教義だが、それも細かくわかるように私たちに教えてくれたのは先生である。」

「（花袋は）後年の『自然主義文学』の根底にあるRealistic tendencyが、松浦の『歌論』から教えられたものであることをはっきり言っている」と小林一郎氏は「田山花袋研究―館林時代―」の中で述べている。そして、＊Realistic tendencyを表現するには理屈を言うのではなく、調べの上に自然とあらわれてくるのでなければならない、と言うのである。

＊ Realistic tendency … 事実性、真実性、現実性といった意味であろう。

〈松浦辰男の教え〉

松浦辰男は、兄 実弥登（みやと）が勤める東京帝国大学の修史館にいた人である。花袋は、松浦辰男の人格や指導姿勢に惹（ひ）かれ、強い影響を受けて行く。松浦は、桂園派の教義を踏まえて、自ら「詠歌十訓（えいかじっくん）」を作って門人を指導した。和田謹吾氏は、この十訓について、「花袋の描写論の原点を見ることのできる主張である。」と述べている。「描写」に重きを置き、「事実」を書く、そして誠実・真面目な文学態度を要諦（ようてい）とした花袋文学には、たしかに松浦辰男の教えの影響が色濃く見て取れる。

〈松浦辰男門下生と「紅葉会」〉

松浦辰男
〔田山花袋記念文学館提供〕

松浦辰男からは、歌論や、歌作の実践指導を受けたばかりでなく、生き方あり方についても多くのことを学んだ。花袋は多くの人との交流があったが、松浦辰男に対しては特別に敬慕の念を抱いていたように思える。松浦の教えは花袋文学に大きな影響を与えたが、それだけでなく、松浦辰男の門下にいたお蔭で人生におけるかけがえのない文学上の友人を得ることができた。宮崎湖処子（こしょし）、太田玉茗（ぎょくめい）、柳田（松岡）国男らである。かれ等との交流が

抒情詩の仲間たち（明30）
〔田山花袋記念文学館提供〕

さらに国木田独歩や島崎藤村らとの交流へと広がって行った。

「私の芸術はその七、八分を先生の人格と歌論とに得たものであることを思わずにはいられない。」とまで『東京の三十年』の中で花袋は述べている。

紅葉、鷗外、ツルゲーネフ、ドオデェ、モウパッサン、フロオベル、トルストイと名前をあげ、こういった作家の作品から多くの感化を受けてきたが、「それよりも、生きた人から受けた感化の方がずっと大きい、先生の魂の一部を受けたものの一人であることを嬉しく思う」と花袋は言い切っている。

明治三十年（一八九七）花袋は、宮崎湖処子、太田玉茗、柳田国男の松浦門下の仲間と、これに湖処子の友人であった国木田独歩や、嵯峨の屋おむろが加わり、共編詩集『抒情詩』を民友社から刊行した。このように、松浦辰男が若きグルウプに与えた影は大きく、かれ等は和歌ばかりでなく、新体詩や小説へと、それぞれに文学の翼を大きく広げて行ったのである。写真は、前列右から独歩、湖処子、玉茗、後列右から花袋、国男である。

2　尾崎紅葉を訪ねて

明治二十四年（一八九一）五月二十四日、十九歳の時、当時の文壇の大家、文学結社「硯友社」を主宰していた尾崎紅葉を牛込区横寺町の自宅に訪問をした。その頃、花袋が住んでいたのは、同じ牛込区の甲良町であった。入門志願の熱っぽい手紙を書いて送った。相手にされるか心配していたが、紅葉から直筆の返事がきた。

花袋はまだ何ほどの者でもなく、自立できる経済力もない。兄の実弥登の薄給で母と兄夫婦、そして花袋と弟富弥の五人が、僅か六畳と八畳の二間に暮らしていたのである。その上、花袋と富弥の学費も捻出しなければならない。貧乏のほどが容易に想像される。『東京の三十年』によると、「豆腐の煮やっこか、油揚の焼いたのかがある時は、それでもご馳走であった。大抵は沢庵の漬物か赤漬薑で、さらさらと飯を食った」という。

「いつまで遊んでいるんだか、宅の録も……。何処へでも出て五円でも十円でも取ってくれれば好いのに……」という母親の愚痴に、花袋は暗い気持でため息をつくしかなかった。なんとかしなければならない、文学好きな青年はなんとか文学で身を立てたいと願望していた。

日本文壇の権威、文豪、しかし考えて見れば、手の届きそうな「自分より四つか五つ年上の一青年」ではないか。その実、その差は歴然、天と地の違いがあった。

尾崎紅葉
〔国立国会図書館提供〕

花袋は、紅葉との出会いについて『東京の三十年』の「紅葉山人を訪う」の中で書いている。その概略を記す。見出しは筆者が付けたものである。「紅葉山人」の「山人」とは筆名の下に付ける接尾辞。ちなみに鷗外のことは「鷗外漁史」、紅葉は山に関係するので山人、鷗外は鷗で海に関係するので漁人と称された。

〈紅葉宅訪問〉

花袋は、その頃、牛込の納戸町にいた。紅葉の住んでいる北町はいつも通っていたのであるが、初めは気が付かなかった。友人から聞いてそのことがわかり、注意しながら歩いて見ると、「硯友社、尾崎徳太郎」と紅葉自筆の標札が眼に付いた。ここにいるのかと思うと、胸がどきどき鼓動し始めた。自分より四つか五つか上の一青年、それが日本の文壇の権威、こう思うと、自分もじっとしてはいられないような気がした。羨ましいと共に妬ましいという気が起る。若い血汐がわきかえる。急に、書きかけた小説を一刻も早く完成しなければならないという気になって、急いで家の方へと戻って行った。紅葉も羨ましいが、それを取巻いている漣とか眉山とか水蔭とか言う人も羨ましかった。とにかくかれらは出発の道程に上りつつある。それであるのに、自分は……自分は……髪の毛を長くして不健全に蒼白い顔をしている私は……。こう思って自から奮い立った。

今に、今に、俺だって豪くなる……豪くなる……日本文壇の権威になって見せる……。

紅葉と自分を対比してみれば現実は雲泥の差であるが、溜息をついてばかりはいられない、「今に、今に、俺だって豪くなる……」と、花袋は、自分を鼓舞するのであった。

江見水蔭との出会い

尾崎紅葉は、一世を風靡した文壇の大家であった。新聞の購読者たちが、連載小説を読みたいために、毎朝新聞がくるのを待ちかねるほどの絶大な人気を誇った作家であった。

花袋にとって、紅葉の門をたたいたことが、まずは文学入門の第一歩であった。田山家が牛込に住んだ偶然の縁であったとも言えよう。もし、牛込に住むことがなかったらどうなったであろうか…、それはわからないが、少なくとも文壇への道程はかなり違うものになっていたであろう。

紅葉から直接教えを受けることは出来なかったが、紅葉門下の江見水蔭を紹介され作家修行をする機会が与えられた。これは花袋にとってむしろ幸運であったように思われる。江見水蔭と出会ったことが、花袋のその後の文学活動に繋がっていくことになるのである。

明治二十四年（一八九一）五月のことである。江見水蔭は、師匠の紅葉から小説家志望の青年田山録弥（花袋）を紹介され、紅葉門下の新人たちの集まりである「成春社」に入会させた。

そして、その機関誌「千紫万紅」を発表の場として花袋に提供したのである。

その年十月、花袋は古桐軒主人の筆名で「瓜畑」という作品をその雑誌に発表した。

ところが、翌明治二十五年（一八九二）、「千紫万紅」が廃刊になってしまった。花袋としては作品

江見水蔭
〔田山花袋記念文学館提供〕

発表の場が失われ、途方に暮れた。唯一の寄る辺である江見水蔭に縋った。

水蔭も、紅葉と同じく牛込に住んでいた。花袋は牛込の自宅（兄実弥登宅）から毎日のように指導を求めて通ったのである。頼られた水蔭としては花袋を見捨てることができなかったのだろう。

〈水蔭、「江水社」をおこす〉

水蔭は、みずから江水社をおこし、機関誌「小桜縅」を発行した。水蔭のお蔭で発表の場ができた。花袋にとって、水蔭の好意はこの上なく有難かったであろう。文学を志す青年が発表の場を失い、自分に縋り、頼って来た。水蔭は、情熱にあふれた青年に何とか自分にできることをしてやりたいと思ったのであろう。恩にきせるつもりではなかったであろうが、花袋が後世文壇で脚光を浴びて行く中で、水蔭のことを忘れ去ったかのような態度でいたことにはやはり不満を持っていたようである。

晩年の頃、花袋が自分の文学人生を振り返り、恩人の一人として江見水蔭の名前をあげたのであるが、さもありなん、そうでなければと筆者も思った次第である。

〈初めての原稿料と「花袋」の号〉

和田謹吾氏は、「明治二十五年三月二十七日から六月十九日にわたって、『国民新聞』の日曜付録に十三回の連載で、花袋は第四作『落花村』を発表する機会を得た。初めて公の舞台に出たといえよう。これは宮崎湖処子のあっせんによるというが、この時花袋は初めて『花袋』という筆名を用いた。」と、「花袋」という筆名が初めて使われたことについて言及している。

原稿を金にするということは、花袋にとって真剣にならざるを得ない大事であった。『東京の三十年』の中に、「私は江見水蔭氏の紹介で、拙い短かい小説をT・F氏の許へと持ち込んだ。そう大して旨いものでもなかったけれども、それでも水蔭氏とT・F氏はかなりに懇意だったので、私の原稿は兎に角、あそこを直せ、此処を直せと言われた後に、辛うじてその難関を通過した。そしてその年の十一月の『都の花』に載せられた。（略）T・F氏はかなりに長く私をそこに待たせた後、封筒に入れて、一枚三十銭の割で七円五十銭私に渡した。それが私が原稿料を取ったそもそもの始めである。私は何をさておいて、自分で働いて最初に社会から取った金と言うことに一方ならぬ愉快を感じた。多くても一円か二円しか入っていない汚い財布に八円近くの金！私は得意な、大文豪にでもなったような気がしながら、あの長い濠端の路を九段の方へと帰って来たのを今でもはっきりと思い浮かべることが出来た。T・F氏は、幸田露伴や尾崎紅葉はじめあらゆる文学者から『先生、先生』と言われたほどの人で、藤本藤蔭という人である。現在ではその名前を知る人は少ないが、当時の文壇においての実力者であった。」と「最初の原稿料」と題して書かれている。

その小説の原稿料は、金港堂の応接間で受け取った。花袋は、初めて得た記念の金を、弟にいくら、母にいくら、姉にいくらという風に、少しではあるがわけてやったと記している。

T・F氏は「花袋」という号について、「袋はおかしい、俗字だ、嚢でなければならない。袋に是非したいなら、岱にするが好い。岱は山だ。花の山、それなら意味を成す。」と言ったとかで、「いざ雑誌に載せられたのを見ると、花袋でなくて、花岱になっている。怒ってみたが、仕方がない。江見君に行ってその話をすると、『けしからんな、文章を直すならまだ好いが、名を直すっていう奴があるもんか。』こう言って笑った。」と花袋は書いている。面白い逸話である。

その後は、「花岱」ではなく「花袋」の筆名にもどして文壇に知られる作家になっていく。

3　若き文学グルウプ

藤村・独歩・国男・玉茗らとの文学交流

花袋の回りには、仲間が集まる。どちらかというと地味なタイプで、自らも言うように野暮なところがあるにもかかわらず、いつも花袋を中心に仲間が往来していたような印象を受ける。

他人の能力を見る眼があるのだろうか。自らも、自分の才能を研いでくれる、良き師、良き先輩、良き仲間を求めて自然そちらの方に近づいているように思える。観察眼が鋭いのだろう。

速成学館の学友であった仲間を信州に訪ねた折に聞いた話とその時の体験に基づいて書かれたの

が『重右衛門の最後』であり、柳田国男から聞いたある脱走兵の話は『一兵卒の銃殺』という小説になった。花袋は自分の心を捉えた話をしっかりと熟成させ、徹底した取材をして作品に仕上げている。共に花袋の代表作になった。

尾崎紅葉のように一大人脈を作って、その領袖として重きをなしたわけではなく、花袋自身がグループ（仲間）と言っているように上下関係のない、新しい文学づくりに邁進する仲間であった。

国木田独歩や島崎藤村、太田玉茗、柳田国男、正宗白鳥などの近代文学史に名を残すような作家や批評家であった。顔ぶれを見ただけでも凄い人たちである。

花袋のグループは、やがて「時代」を捉え、切り開き、世に躍り出て行く。

花袋は、どうも硯友社の人たちに認められず、硯友社の人たちとうまく付き合えなかった。

尾崎紅葉は花袋を認めず、泉鏡花らは花袋に対する態度が冷たかった。花袋は次第に硯友社を離れて行くようになる。尾崎紅葉の人気は絶大であったが、花袋はこうした紅葉の門下、窮屈な人間関係の中で気を遣って生きるのは潔しとしなかった。だから余計に冷たくされたのであろう。

花袋は、藤村、独歩、国男、玉茗らと知り合い、こうした若い文学のグループで、自由に議論しながら、新しい文学を作ろうという情熱を燃やしていったのである。それは、尾崎紅葉の「硯友社」と異なり、自由な文学サロンの趣であった。

〈恩人 宮崎湖処子〉

明治二十三年（一八九〇）花袋は十八歳、宮崎湖処子や太田玉茗と出会ったのがこの頃である。

かれらは松浦辰男の門下生による「紅葉会」を結成し、盛んに会合を開催した。この後、翌二十四年に開成中学校に編入したばかりの松岡（柳田）国男が入ってくる。

湖処子はすでに批評家としての地位を固めており、花袋の作品を「国民新聞」や「国民之友」の批評欄で積極的に支持してくれた。これは花袋にとってみれば世に出る一つのきっかけであり、恩人と言ってもよいだろう。花袋が『落花村（らっかそん）』を「国民新聞」に発表できたのも湖処子のお蔭であり、花袋の「小詩人」を評価してくれたのも湖処子であった。そして、明治二十九年十一月、花袋を国木田独歩に引き合わせたのも湖処子であった。花袋と独歩との、渋谷の「丘の上の家」での出会いは、ドラマチックでさえあった。

花袋と島崎藤村

島崎藤村は、明治二十六年（一八九三）、二十一歳の時、北村透谷（とうこく）らによって「文学界」が創刊されると同時に同人に加わり、詩歌を中心にした作品を発表するようになる。

花袋と藤村（とうそん）は、明治二十九年（一八九六）、「文学界」を主宰（しゅさい）する北村透谷（とうこく）が自殺し、花袋が追悼（ついとう）の和歌を「文学界」に投稿したことが縁で、「文学界」同人の集まりの席で初めて出会った。

花袋は、その後、藤村が住む根岸の家を訪問するようになり、文学論や芸術論を語り合いながら親しくなっていき、二人は生涯にわたるライバルとして、また同志として、お互いを認め合う友人となっていく。この頃、松岡国男（後に柳田家に養子に入る）も「文学界」に新体詩を発表するようになり、藤村と出会っている。花袋、藤村よりも三歳下の国男であったが、この若き文学の仲間の中においても異彩を放ち、花袋らから「秀才」と評されていた。実際、花袋も藤村も、話上手で学識も高く、知識豊富な松岡国男から文学上の刺激を受け、かれから得た話材を基にして作品を書いている。

〈小諸義塾の教師時代〉

藤村は、明治三十二年（一八九九）二十七歳の時、恩師木村熊二が経営する小諸義塾の教師となって信州の小諸へと移り、この年、秦フユと結婚をした。

小諸義塾は二十九年（一八九六）私塾として創設されたが、木村塾長の教育理念、実践に共鳴した小諸地方の有志が支援するようになり、三十二年（一八九九）には正式に県から私立中学校（旧制中学校、現高等学校）に認可された。

小諸義塾 教員時代の島崎藤村
〔小諸市市立小諸義塾記念館提供〕

藤村は、三十年（一八九七）、処女詩集『若菜集』を出版、すでに世に知られ注目されていた。

そして、千曲川や浅間山の雄大な自然の中で暮らしたことで、詩人としての感性に磨きがかかっていく。『落梅集』（明34）に所収された「千曲川旅情の歌」は雄大な自然の情景を、小諸義塾の教師の頃詠（よ）んだものである。現在でも藤村の詩はよく知られ、「初恋」、「惜別の歌」等歌われている。

小諸義塾記念館には当時の小諸義塾の教育、校長木村熊二の教育理念や経営方針、各教員の紹介、そして、教育活動を示す写真や資料などが、数多く展示されている。小諸義塾記念館は、当時の小諸義塾の校舎（本館）であり、記念館そのものが貴重な歴史物となっている。

島崎春樹（藤村）先生に対する塾生 林勇氏の印象を語った言葉が残されており、藤村の素顔や当時の教員生活の様子が彷彿として浮んで来る。

小諸義塾記念館

「静かに取りすまして教室に入ってくる先生だった。教科書を机上にひろげ皺をのばしながら、静かに静かに講義された。野生味のある少年どもの私語で教室が騒がしくなると、急に講義を打ち切ってニヤリニヤリと笑われた。決して生徒を叱ったことのない先生だった。新体詩人としてあれだけ知名な先生だったが、そんなことを鼻にかけるような先生ではなかった。」

藤村は明治三十二年から六年間小諸義塾で教鞭をとった。教師生活の傍ら詩作や小説の創作に耽った。藤村は、小諸で書き溜めた原稿を携え、東京に戻った。それらは後に『落梅集』、『千曲川のスケッチ』、『破戒』となって発刊された。

明治三十九年（一九〇六）、藤村は小説『破戒』を出版し、部落差別という不条理に目を向け、当時誰も声にすることのなかった社会問題を取り上げ高い評価を得た。一方、花袋は、藤村に刺激され、翌四十年（一九〇七）、自己の内面の恥部を赤裸々に告白した小説『蒲団』を発表した。共に社会に大きなセンセーショナルを捲き起こし、話題作となった。そして、藤村の『破戒』、花袋の『蒲団』は、人間の真実、事実を隠すことなく描き出すという新しいスタイルの文学作品として日本自然主義文学を代表するものとなり、近代文学に大きな革新をもたらしたのである。

『東京の三十年』の中に「小諸の古城址」という一文がある。花袋は、島崎藤村について「島崎君のその頃の名声は、博くひろがらないようなところはあっても、清く穢れざるものであったことは特記しなければならない。島崎君は決して濫作をしなかった。念の上にも念を入れた。従って君の作品は、世に公にされるたびに、割合に多く好評を博した。」と、花袋と藤村の作家態度の違いについて述べている。花袋は、藤村の能力には一目置いていた。

〈余談　木曽路の旅と島崎楠雄氏〉

昭和五十一年頃、筆者は妻と共に木曽路を旅したことがある。「木曽路はすべて山の中である」という島崎藤村の代表作『夜明け前』の冒頭文を口ずさみながら妻籠から馬籠へと向かって、約八㎞の山路を歩いた。その日は馬籠に宿泊した。夜、藤村の長男の島崎楠雄氏が講演するという話を聞き、宿からすぐ側にあった会場に出掛けた。会場は藤村記念館であったと思うが、記憶は定かでない。藤村記念館は島崎家の馬籠本陣隠居所の跡地に建設された。明治二十八年（一八九五）の火事により、この隠居所を残すのみで本陣の他の建物は全て焼失した。

旅行中、たまたまこのような機会に巡り合えたことは幸運であった。

島崎楠雄氏は明治三十八年（一九〇五）の生れであるから、当時、七十一歳くらいであったと思う。藤村の晩年の風貌にそっくりでちょっと吃驚した。一瞬、藤村かと錯覚したほどである。藤村は昭和十八年（一九四三）に七十一歳で亡くなっているので、ちょうど晩年の藤村と同じくらいの年齢であった。似ているのも不思議はない。講演の詳細は忘れたが、こんなことを言っておられた。

「父（藤村）は、九歳の頃、明治という新しい時代になり、政治文化の中心になっていた東京に出されました。『家』の再興という期待を背負わされて、東京の学校に入るため馬籠から上京したのです。私はその父とは逆に、長く続いたこの山の中の『家』を守るため、東京から馬籠に帰ることになりました。そして、ずっと今までこの馬籠で暮らしてまいりました。…」という話だけはしっかり記憶に残っている。

楠雄氏は父の故郷 馬籠で帰農して、慣れない畑仕事に従事したようであるが、藤村は何かと楠雄氏の手助けをしたようである。馬籠の本陣であった名家島崎家の再興は藤村の願いであった。藤村記念館の入口には、昭和三年（一九二八）、藤村が郷里の上坂小学校で講演した際に残した言葉が掲げられている。

「血につながるふるさと　心につながるふるさと　言葉につながるふるさと」という言葉である。

藤村の妻であり楠雄氏の母である冬子と、三人の姉（みどり、孝子、縫子）の遺骨は、大正十一年（一九二二）に東京から馬籠の島崎家の菩提寺永昌寺に移されたという。藤村にとって、馬籠は終生忘れ得ぬ郷里であり、血脈の地としていかに大切に思っていたかがわかる。藤村の墓は大磯の地福寺にあるが、先祖代々が眠る永昌寺にも遺髪と爪が埋葬され、墓がある。

これは、花袋が、生まれ育った館林について「忘れがたきふるさと」として望郷の念を終生抱き続け、作品に描き続けたことと相通じるものがある。

花袋と国木田独歩

国木田独歩は、明治四年（一八七一）千葉県銚子で生まれた。父の仕事（裁判所判事）の関係で子供の頃は山口で過ごしたが、明治二十年（一八八七）に上京し、東京専門学校（現早稲田大学）に入学した。卒業後、民友社の徳富蘇峰（そほう）と出会い、二十七年国民新聞社に入社する。二十九年頃、花袋や藤村らと出会い、ともに新しい文学を目指していった。弁が立ち、自然主義文学発祥の舞台となる「龍土会」のメンバーの中にあっても、いつも話の中心になっていたようである。

「自分は自分が自然主義だと思ったことはない、それが自然主義なんだと言われればそうかというしかない…」と煙（けむ）にまいたようなことを言っていたようである。

国木田独歩
〔国立国会図書館提供〕

花袋と独歩の交流はよく知られているが、およそタイプは正反対、花袋は肥満型、熟考型、忍耐型であるのに比して、独歩は小柄で細身、感覚型、瞬発型と筆者には映るのであるが、どうであろうか。このような二人が終生の友として深く交流していくのも面白いところである。

独歩は明治四十一年（一九〇八）、結核のため三十八歳という若さで没している。代表作は「武蔵野」、「牛肉と馬鈴薯（ばれいしょ）」、「忘れえぬ人々」、「運命論者」、「欺（あざむ）かざるの記」などがあり、作品はいずれも短編小説や詩が中心である。花袋が粘り強く長編を多く書いたのとは対照的である。

国木田独歩はその出会いの時から花袋を刺激し、そして花袋の文学にも影響を与えている。渋谷の丘の上の家での出会い、日光照尊院での共同生活、南湖院での独歩の病床を花袋が足しげく見舞うところなど、近代文学の裏側を見るようで興味深い。

〈独歩との出会い〉

独歩は、明治二十八年（一八九五）、二十四歳で佐々城（ささき）信子と結婚し、逗子に住んだ。しかし、翌二十九年、信子は、貧しい独歩との窮乏（きゅうぼう）生活に堪（た）え難（がた）くなり家を出て行ってしまった。独歩は最愛の信子の失踪（しっそう）に動揺し、腹を立て、精神的に立ち直れないほどに打ちひしがれた。独歩はこの挫折（ざせつ）から立ち直るべく、東京郊外の上渋谷村（現 渋谷区）に移り住んだ。

この頃の独歩の心境は「欺（あざむ）かざるの記」という日記文の中に見ることが出来る。信子が自分のもとに帰って来ることを期待し、物音がする度、信子が帰って来たのかと錯覚するほどであった。

明治二十九年（一八九六）十一月、同じ松浦辰男門下の宮崎湖処子（こしょし）の紹介で、花袋と太田玉茗は国木田独歩の丘の上の家を訪れた。『東京の三十年』の中に「丘の上の家」と題して、この時の独歩との出会いを印象的に記している。目の前に浮かぶような描写である。原文（現代表記に改めた）を記す。

〈丘の上の家〉

それは十一月の末であった。東京の近郊によく見る小春日和で、菊などが田舎の垣に美しく咲いていた。太田玉茗（ぎょくめい）君と一緒に湖処子君を道玄坂のばれん屋という旅舎に訪ねると、生憎（あいにく）不在で、帰りのほども分からないと言う。「帰ろうか。」と言ったが、「構うことはない。国木田君を訪ねて見ようじゃないか。何でもこの近所だそうだ。湖処子君から話してあるはずだから、満更（まんざら）知らぬこともあるまい。」こう言って私は先に立った。玉茗君も賛成した。（略）

路（みち）はだらだらと細くその丘の上へと登って行っていた。斜草地、目もさめるような紅葉、畠の黒い土にくっきりと鮮かな菊の一叢二叢（ひとむらふたむら）、青々とした菜畠――ふと丘のうえの家の前に、若い上品な色の白い痩削（やせぎす）な青年がじっと此方（こちら）を見て立っているのを私たちは認めた。

「国木田君ですか。」

「僕が国木田。」

此方（こちら）の姓を言うと、兼ねて聞いて知っているので、「よく来てくれた。珍客だ。」と喜んで迎えてくれた。かれも秋の日を人懐しく思っていたのであった。（略）

帰り支度をすると、「もう少し遊んで行き給え。好いじゃないか。」

袖を取らぬばかりにして国木田君はとめた。

「今、ライスカレーをつくるから、一緒に食って行き給え。」（略）

大きな皿に炊（た）いた飯を明けて、その中に無造作にカレー粉を混ぜた奴を、匙（さじ）で皆なして片端からすくって食ったさまは、今でも私は忘るることが出来ない。

「旨いな。実際旨い。」こう言って私たちも食った。（略）

帰りは月が明るかった。私と玉茗君とは、渋谷の停車場の方へと急いで歩きながら、「面白い好い男だね。あんなさっぱりした人は見たことはない。」などと話した。

それ以来、その丘の上の家は、私たちのよく行くところとなった。時の間に、私たちの間には深い固い交際が結ばれた。国木田君も私の喜久井町の家をたずねて来れば、私も行ってはそこに泊って来たりした。それに、その丘の上の家の眺めが私たちを惹いた。（略）

丘の上の後の方には、今と違って、武蔵野の俤を偲ぶに足るような林やら丘やら草薮やらが沢山にあった。私は国木田君とよく出かけた。林の中に埋れたようにしてある古池、丘から丘へとつづく路にきこえる荷車の響、夕日の空に美しくあらわれて見える富士の雪、ガサガサと風になびく萱原薄原、野中に一本さびしそうに立っている松、汽車の行く路の上にかかっている橋――そういうところを歩きながら、私たちはどんなに人生を論じ、文芸を論じ、恋を論じ、自然を語ったであろうか。またいかに悲しいお信さんとの恋のいきさつを聞かされたであろうか。それを私は後に、『わかれてから』と言う小説の中に書いた。（略）夏の末から、翌年、日光に行くまで、国木田君は、その丘の上の家で暮した。思うに、国木田君に取っても、この丘の上の家の半年の生活は、忘るることが出来ないほど印象の深いものであったろうと思う。紅葉、時雨、こがらし、落葉、朝霧、氷、そういうものが「武蔵野」の中に沢山書いてあるが、それは皆なこの丘の上の家での印象であった。

〈余談 国木田独歩の「武蔵野を訪ねて」〈テレビ埼玉一九九四年一月十日放送〉

筆者の妻 増田和恵が、埼玉県立熊谷女子高等学校教諭であった時、テレビ埼玉放送による「生きがい探訪 国木田独歩の『武蔵野』を訪ねて」という、埼玉県教育局の番組に出演したことがあった。晩秋の頃の撮影であった。新座の野火止方面に行き、独歩の『武蔵野』について解説をした。

野火止用水、平林寺周辺は武蔵野の俤を残す数少ない場所である。その雑木林をアナウンサーと一緒に歩きながら、『欺かざるの記』、『武蔵野』等の作品について語り、さらに自らを「天性の詩人」と言い、独創的な作家であった国木田独歩の自然観について解説をした。

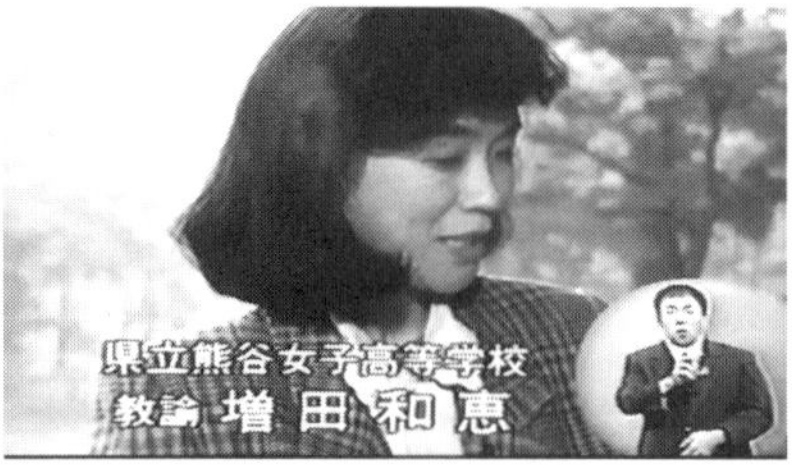

「独歩の『武蔵野』は自然と人生というものがテーマであり、単なる自然発見、賛美文章ではなく、生活と自然の入り雑じったところに生まれ、自然と人生を主題とする発見記録と言えます。独歩は自分と自然を切り離した無縁の自然というものを嫌い、常に己を囲む自然、自らが住む自然の中に美を見出そうとしました。武蔵野の小径を散策し、自然の中に身を置くことで精神の安定が得られ、想像力を得たのではないでしょうか。」といったようなことを語っていた。

テレビの映像を見ると、足下には椚や楢などの落葉が散っていて二人が歩く度にカサカサと音を立てていた。まさに武蔵野を想わせる光景であった。

田山花袋は「紅葉、時雨、こがらし、落葉、朝霧、氷、そういうものが『武蔵野』の中に沢山書いてあるが、それは皆なこの渋谷の丘の上の家での印

テレビ埼玉「生きがい探訪 国木田独歩の『武蔵野を訪ねて』」より

テレビ埼玉「生きがい探訪 国木田独歩の『武蔵野を訪ねて』」より

象であった。」と述べている。確かに当時の渋谷村あたりは自然林があり、武蔵野の俤をまだ充分に残していた。

「ただし、独歩が考える武蔵野とは、雑司ケ谷、川越、立川、丸子、下目黒のあたりを言い、八王子は入っていません。…」と解説を加え、独歩が小金井、国分寺付近を散策したことにも触れ、「もしかすると、散策好きな独歩は埼玉にも足を延ばしたことがあったかも知れません、ただし、そうした記録は残っていません。」等々述べていた。

独歩の自然観についての見方として参考になったので紹介するものである。

〈独歩旧居「丘の上の家」〉

花袋と太田玉茗は渋谷道玄坂の「ばれんや」に滞在していた宮崎湖処子を訪ねたが、あいにく不在だったため、湖処子から紹介されていた国木田独歩に会いに行こうということになった。

独歩の住む家は、道玄坂から丘の上の方に登って行った所にあった。

藤田佳世著「大正・渋谷道玄坂」という本がある。タイトル通り、大正時代の渋谷道玄坂の様子を記したものである。

この本は、著者藤田佳世氏が子供の頃住んでいた道玄坂の家々、様々な店や路地、川、交流のあった人々の記憶を追憶しながら、懐かしく思い出を綴ったものである。手書きの細密（さいみつ）な地図も付いている。よくぞこんなにも再現できたものだと感心させられる。しかし、「大正・渋谷道玄坂」の地図を見ても、道玄坂に「ばれん屋」という旅館は見つからなかった。

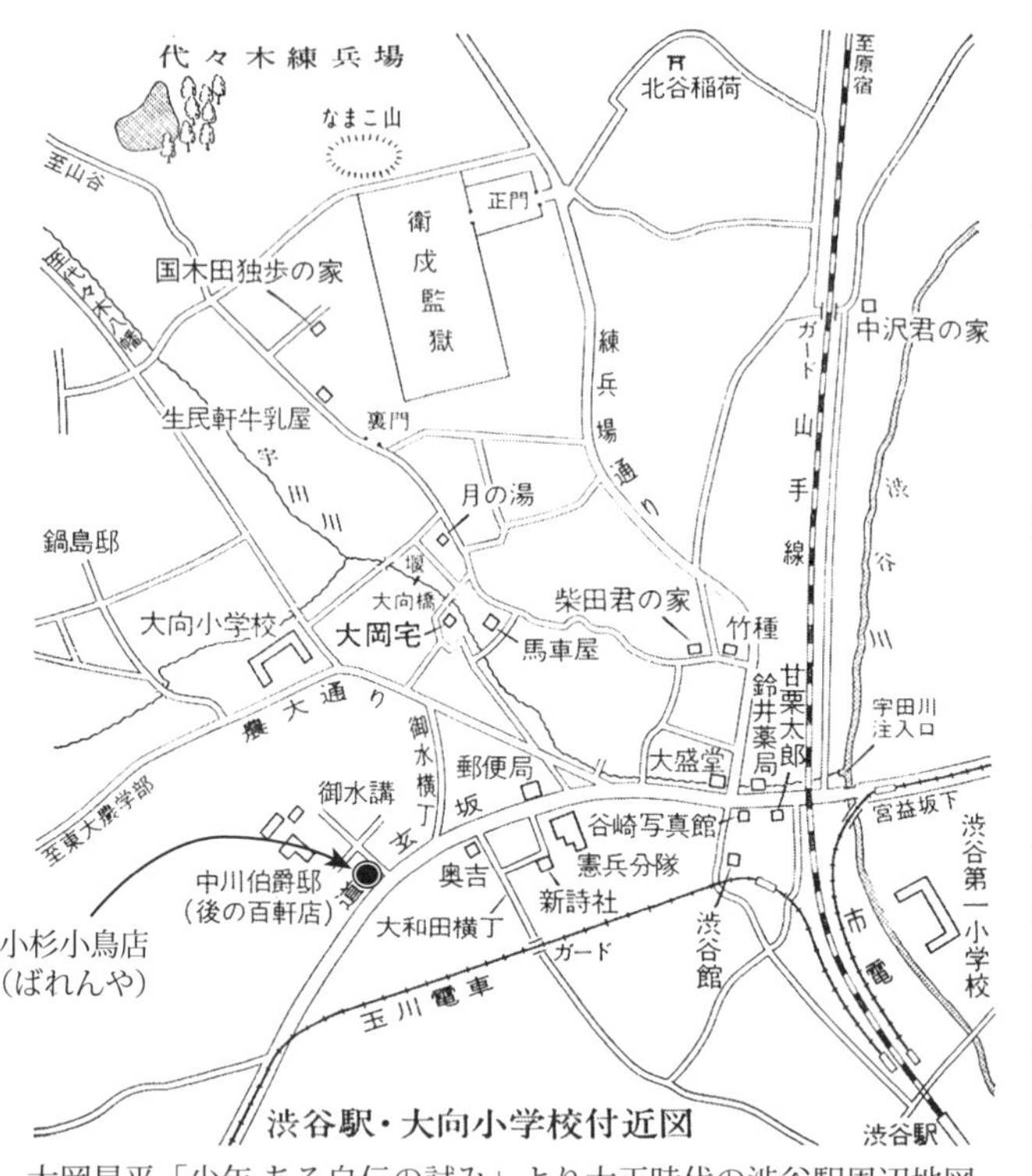

大岡昇平「少年 ある自伝の試み」より大正時代の渋谷駅周辺地図
〔筑摩書房提供〕 ＊◉（小杉小鳥店の位置）は筆者が表示

「丘の上の家」の話は、明治二十九年頃のことであるから、大正のこの頃には「ばれん屋」はもうなくなっていたのだろうかと、残念に思いながら本文を読んでいくと、「ばれんや」という文字が目にとまった。

「ばれんや」はこの当時「小杉小鳥店」と名を変えていたということがわかった。ばれんとは火消しの纏（まとい）の垂（たれ）のことである。昔はばれんを作っていたので、それを家号（やごう）として旅館を営んでいたのであるが、ばれんは必要とされない時代になってしまい、小鳥屋に転業したのであった。

これを機に「ばれんや」は、小杉という苗字であったので、徐々にその家号からは離れ、「小杉小鳥店」という店名にしたのである。道玄坂における「小杉小鳥店（元の「ばれんや」）」の位置は確認できた。そこから丘の上の家まではどう行くのか。

大岡昇平の自叙伝『少年 ある自伝の試み』（筑摩書房）の中に大正当時の渋谷の地図がある。

この地図を見て行くと、独歩の住んでいた丘の上の家まで辿ることが出来た。

「小杉小鳥店（ばれんや）」は中川伯爵邸の下に「道玄坂口」（横書き）と地図に見えるが、その「道」と「玄」という文字の間に路地があり、その路地のすぐ左角が「小杉小鳥店（ばれんや）」の位置（◉で表示）である。「ばれんや」に宮崎湖処子が不在だったものだから、そこから花袋は玉茗と連れだって、御水横丁から大岡宅の前を通って、大向橋で宇田川を渡り、月の湯を経て代々木練兵場方面に向かって北上して行くと、途中に牛を五、六頭飼っている牛乳屋があり、そのすぐ先に独歩の住居があった。

まさに牧歌的な風景である。そこは現在のNHK放送センター近くであり、宇田川町七―一の地であるが、ここに「国木田独歩住居跡」という標柱が立っている。

この時、花袋は独歩と初めて出会い、初めてとは思えないほど親しくなり、いろいろ話して帰ろうとすると、ライスカレーを食べて行ってくれと引きとめられ、御馳走になった。炊き立てのご飯にカレー粉をかき混ぜただけのご飯をスプーンで掬い取り食べたのだが、その旨かったことが忘れられない思い出になったという。

その日から花袋は独歩と大変親しくなり、その後よく丘の上の独歩の家に行くようになった。

国木田独歩住居跡標柱

花袋が訪ねて行くと、独歩は縁側に出て、「おーい。」と声をあげて、牛乳屋を呼び、絞り立ての牛乳を一、二合取り寄せて、茶碗にあけて、それにコーヒーを入れてご馳走をしてくれた。

　独歩の丘の上の家のすぐ傍に衛戍監獄があった。現在の渋谷公会堂、神南小学校あたりに位置する。右上の写真の木の傍に、「国木田独歩住居跡」と書かれた標柱が立っている。その大通りの向う側に、NHKセンターがある。当時、ここには代々木練兵場があった。昭和になってからも衛戍監獄、代々木練兵場はあって、昭和史に残る二・二六事件の首謀者たちはこの衛戍監獄で処刑されたのであった。

　昔、渋谷は川や谷や丘のある自然豊かな地で、「春の小川はさらさら行くよ　岸のすみれや、れんげの花に…」と歌われた唱歌「春の小川」は、宇田川の上流になる河骨川が舞台になっている。河骨川は宇田川に流れ込み、宇田川は道玄坂あたりで渋谷川に流れ込んでいた。

　それらの川はいずれもその姿が見えなくなり、現在はビル群の中を車と人が行きかう大都市となり、今はどこにもその面影はない。渋谷川などは、昭和三十年代に都市基盤整備に伴い暗渠化し、今は地下を流れて地図の上には出ていない。

　筆者は実際に渋谷駅からNHK方面に歩いてみたが、現在は都市化され、造成されたせいか、少し坂道にはなっているものの、丘陵を登っているというほどの感覚はなかった。

〈花袋と独歩の「日光照尊院」での共同生活〉

明治三十年（一八九七）、花袋と独歩は四月から六月にかけての二ヵ月間、世俗を離れ、執筆活動に没頭するため、日光照尊院で生活を共にした。共同合宿である。

独歩にとっては、佐々城信子を失った心の傷を癒すとともに、作家として自分を試す好い機会となった。二人はこの二ヵ月、執筆生活の間に、雄大な自然に触れ、ともに人生や文学について語り合った。独歩はここで処女作『源叔父』を完成させている。そして四年間書き続けた「欺かざるの記」の筆を置いたのである。

二人の日光での生活の様子は、『東京の三十年』の「KとT」などに詳しく記されている。Kは国木田独歩、Tは田山花袋である。

時には文壇の話が二人の間に出た。G社（「硯友社」のこと）の軽佻な思想が罵倒の材料になる。かと思うと、Kは、「是非やる、此処に来た記念に、処女作を是非書く。今日も一日考えた。君から見ると、怠けて散歩ばかりしているように見えるかも知れないけれど……こうやって考えているということも、仕事をしているのと同じ労作なんだからな。」Tが一日コツコツやって、どうにもならないような、何処にもはめることもできないような大きな小説を、何百枚と毎日書いているのに当て付けるようにKは言った。TにはまたKが毎日毎日後頭部に両手を当てたり、散歩に出かけたり、ぶらぶらしていたりして遊んでいながら、これでも仕事をしているのだという態度が軽い反感を起させた。「あんなに怠けていて、処女作も何も出来るもんか。」Tは心の中でこう言って窃かに嘲った。（『東京の三十年』所収「KとT」）

〈独歩の死〉

国木田独歩は、明治四十一年（一九〇九）の二月から、結核療養のため茅ヶ崎の南湖院に入院していた。独歩には新聞記者に知己が多かったこともあり、東京の新聞は独歩の病状を毎日のように報じていたという。

「国木田君とは、私は喧嘩をしたこともある。『なんだ、あんな奴！あんなちょこ才な！』こう思ったことも度々ある。それに、原稿の世話も煩さくて仕方がなかった。私が博文館にいるので、『是非世話をしろ。』とか何とか言って来るが、不幸にして、社の主幹の坪谷君が、市政のことか何かで、国木田君を一時目の敵のようにしていたので、『国木田なんか、仕方がない。』こう言って、私の持って行く原稿をつき返した。中に挟まって弱ったことも一度や二度ではなかった。しかし、国木田君は何と言っても私に取って畏友でありまた親友であった。逢って話せば、どんな感情の齟齬もすぐ除れた。それなのに……もうどうしてもわかれなければならないと思うと、堪らなく胸がつかえて、寝台の上の蒼い痩せた顔がありありと眼に映った。」（『東京の三十年』所収「KとT」より）

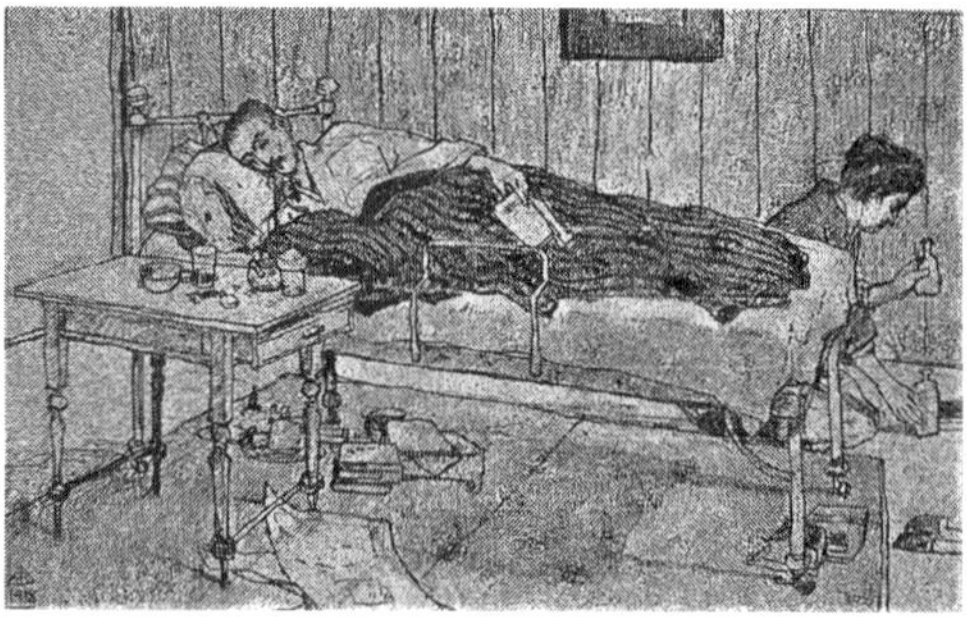

小杉未醒画「独歩病臥図」
〔田山花袋記念文学館所蔵『病床録』口絵より〕

花袋はこの頃、花袋の母てつをモデルに、家庭内の確執を赤裸々に描いた『生』という小説を「読売新聞」に連載中であった。まさにモーパッサンの皮剥の苦痛を自ら味わいながらの執筆であった。

ところが、これと同じ時期に「東京朝日新聞」の方では島崎藤村が『春』を連載しており、好評を博していた。世間では両者の新聞小説を比較し論評するので、「負けたくない」と、意識せざるを得なかった。花袋は、独歩のお見舞いにはこれまで忙しい中何度も行っていたが、『生』に取りかかってからは、藤村への競争心と、母を世間にさらけ出すことへの辛さなどで足がやや遠ざかっていた。そんな所へ独歩から一度来てくれという催促であった。まさかすぐに死んでしまうと思わなかったので、明日行こうと思っていた矢先の独歩の死であった。花袋にとっては痛恨の極みであった。

花袋と柳田国男

「田山花袋記念文学館」の「企画展 花袋と柳田国男――国男の手紙と花袋の作品――」を参照し、花袋と柳田国男の交友について概略を記す。

柳田国男は、明治八年（一八七五）、松岡賢次（操）、たけの六男として兵庫県に生まれた。第一高等学校、東京帝国大学へと進む。歌人松浦辰男に入門し、そこで田山花袋と出会った。花袋を通じて国木田独歩、島崎藤村ら文学仲間と広く交流し、文学グループ「龍土会」や「イプセン会」などの会を催す。グループの中では年少であったが、博識で話上手で、いつも示唆に富んだ話題を提供していたようである。明治三十三年（一九〇〇）東京帝国大学を卒業後、農商務省に勤務した。

翌三十四年、柳田家へ養子として入籍し、同三十七年柳田直平、琴の四女孝と結婚する。農商務省の官僚時代に農政視察や講演のため全国の農山村を旅し、各地に残る地方習俗や伝承などに注目した。

柳田国男
〔田山花袋記念文学館提供〕

九州椎葉村の狩猟習俗を記録した『後狩詞記』（明42）や東北遠野郷の習俗・口碑を記録した『遠野物語』（明43）などの著作は民俗学の出発点となった著作である。昭和二十六年（一九五一）、第十回文化勲章受章、昭和三十七年（一九六二）享年八十七歳で生涯を閉じた。

柳田国男は、花袋、独歩、藤村らと共に十代の頃から活動し、花袋らの自然主義文学に共鳴、龍土会においても率先して活動をした。花袋は国男をモデルにした作品を多く書いた。明治三十四年に発表した「野の花」はその代表的な作品である。しかし、国男が詩作をやめて役人となり柳田家に入った頃から、こうした作品は書かれなくなる。

花袋の『一兵卒の銃殺』の題材は柳田国男から聞いた実話より取材したものである。人生の歯車がくるった人間の心理、葛藤をよく描いている面白い作品である。

花袋と太田玉茗

太田玉茗は花袋にとってどのような存在であったろうか。

丸山幸子氏の「羽生と花袋―『隠れ家』としての建福寺」という中の一文に、「太田玉茗は花袋にとって莫逆の友であり、羽生建福寺は花袋にとって唯一の幽棲、隠れ家であった。」とある。

花袋にとって玉茗の存在はあまりに大きく一言では言い表しがたいものがある。莫逆（お互い気に障ることのない）の友であり、義兄（妻の兄）であり、文学上の同志、また文学を超えて花袋の精神を支え続けた恩人でもあった。

原山喜亥氏の「埼玉最初の近代詩人　太田玉茗の足跡」を参照し、玉茗の経歴の概略を記す。

太田玉茗は明治四年（一八七一）に忍町下忍三五二番地（現行田市）に父伊藤重敏、母とらの八人兄弟姉妹の次男として生まれ、幼名は蔵三である。小学校卒業後、持田村（現行田市）浄土宗正覚寺に預けられた。その後、羽生町（現羽生市）曹洞宗建福寺太田玄瞳に預けられ、落髪染衣（得度）する。そして、玄瞳の養子となり太田玄綱と改めた。「頴才新詩」に論文を投稿し掲載されるようになり、この「頴才新詩」の投稿により、花袋とも知りあうようになった。

明治二十四年（一八九一）、東京専門学校（後の早稲田大学）に入学、この頃花袋や柳田国男らと共に、桂園派の歌人松浦辰男門下にはいり、和歌を学ぶようになる。そしてその門下生による紅葉会に加わった。明治三十年に宮崎湖処子、田山花袋、松岡国男らと合著詩集『抒情詩』を民友社から刊行し、西洋文学の翻訳や小説を発表した。三十二年（一八九九）一月に妹の里さが田山花袋と結婚、五月に羽生山建福寺第二十三世住職となった。三十五年（一九〇二）、母の実家の三村家に入籍し、三村玄綱と改めた。

建福寺境内には「建福寺第二十三世住職（三村玄綱）詩人・太田玉茗の詩碑」が建っており、『抒情詩』に拠る「宇之が舟」の最初の三連が刻まれている。花袋とは終生の友であり、また実妹の里さが花袋の妻となったことで義兄弟でもあった。玉茗は数多くの花袋作品にモデルとして登場し、原山氏の調べではその数四十一作品であった。昭和二年（一九二七）に没した。

筆者は、令和三年二月一日、これまで何度も訪問したことのある羽生市の建福寺ではあるが、改めて太田玉茗が住職であった頃の寺の様子や、玉茗の生活の様子などについて安野正樹住職にお聞きしたくお訪ねした。玉茗が二十三世、現住職は二十六世であり三代の隔たりがある。不明なところもある中、安野住職はご丁寧にお話しくださった。

玉茗は、建福寺の住職になってからは次第に文学活動からは遠ざかっていったとのことであるが、玉茗の母校でもあった「早稲田文学」においてはその後も活動を続けていたとのことであった。寺の運営にも努力し、埼玉県第二曹洞宗務所長、同 宗議会議員、同 布教部委員長などを歴任し、埼玉県全体を統括し、また全国の宗務に関係する立場でもあったということである。つまり僧侶として出世した人でもあった。

玉茗と花袋の関係は、『残雪』の中においても「平野の寺に住んでいるOという僧は、哲太が少年時代から心を合わせて来た友達…」とあり、その親しさは格別であった。花袋はこの寺に来ては、何度も何度も庫裏（くり）に寝泊まりし、玉茗と酒を酌み交わし、文学や、女のことまでも語りあったのである。その頃の庫裏の写真はあるのだろうか。

『残雪』の中で主人公が脱却の苦悩、愛欲の苦悩、そうした心の救済を「一切蔵経（いっさいぞうきょう）」の中に求め、「僕の僧房」と呼んだ庫裏の二階の部屋で経典（きょうてん）を読んでいく場面が出て来るが、その部屋は？　一切蔵経は？　どうしただろうか、作品の中だけのこととは思えないので、古い写真でも残っていないか、これらのことをご住職にお聞きしたら、「その当時の庫裏の写真がアルバムに残っていると思います。」と仰って、アルバムを持って来てくれた。この写真は、先々代、つまり玉茗の後の二十四世住職の葬儀（昭和四十五年）の時のものである。左の建物が旧本堂で、右の建物が当時の庫裏である。

旧本堂は現存しており、山門をくぐって参道を進むと右手にあるお堂がそれである。

さらにご住職は本堂の倉庫を開けてくれた。なんと『残雪』に登場する「一切蔵経」（一切経・大蔵経ともいう）の本があったのである。棚に類別されて、その量もすごかった。「本当にあった！」のである。

左 旧本堂、右 旧庫裏〔建福寺安野正樹住職提供〕

『残雪』の中に、Oという僧が、「先々代の和尚の時に、檀家から寄付されたものだ。その檀家の人はかなりの学者で土地でも聞えた人だったそうだ。」、「一切蔵経は虫干するにも人を頼んで十日はかかる」、「一遍ざっと眼を通すだけでも、三年と何ケ月かかるっていう話だから…」、「全部読んだ人などは滅多にいないわけだね。」など、主人公と会話する場面がある。棚いっぱいに置かれた大蔵経を見てその通りだと納得した。この大蔵経は、明治十八年刊、「弘教書院」の「大日本校訂大蔵経」であった。小さくてよく見えないが、右下に表紙の文字が写っている。

〈花袋の作品から見た玉茗〉

田山花袋の作品から、花袋と玉茗の関係について幾つか抜粋してみたい。

大蔵経（一切蔵経）〔建福寺安野正樹住職提供〕

平野の寺に住んでいるOという僧は、哲太が少年時代から心を合わせて来た友達だけに、思想上にも、生活上にも、また女にも酒にも話の友の合わないことはないほどの親しい間柄で、哲太と女の関係をも深く知って居れば、女も哲太と一緒に其の寺に行って泊まったりしたことの有るほどの仲であるが、また哲太が世間に苦しんだ時には、いつも自由と温情とを以てかれを迎えて呉れる唯一の幽棲（ゆうせい）とも言うべき処であった、…（『残雪』）

二人は若い頃からぴったりと心を合わせて来た。互いの境遇の相違から、考えも心の持方も大分違って居たが、その親しい間柄はついぞ今まで破れたためしがなかった。都から来た男は寺にかくれた方の男の妹を妻にしていた。（『縁』明43「毎日電報」）

H町の寺で私は一日二日を費（ついや）した。静かに落付いて……。私は烈（はげ）しく労働した後には、屹度（きっと）此処にやって来るのであるが、この寺ほど私に休息を与えて呉れるものはない。私に取っては此上（このうえ）もないすぐれた幽棲（ゆうせい）である。（『家鴨（あひる）の水かき』大6「文章世界」）

太田玉茗
〔田山花袋記念文学館提供〕

以上、三作品を読んだだけでも玉茗と花袋の付き合いの深さが読み取れる。共に松浦辰男門下にあった十代の頃からであるから、花袋の性格も知り抜いていたであろう。『残雪』の中でも「Oという僧」として登場するのであるが、花袋をいつも寛（ひろ）い心で迎えた。こんな居心地が良いところは他になかった。

明治三十二年（一八九九）八月に北千住～久喜間が開通し、その後鉄道は、加須、さらに川俣（かわまた）（現 羽生市の川俣）へと順次延びて来た。四十年（一九〇七）八月に利根川に鉄橋が架（か）かって足利まで鉄道が延びると、羽生側の利根川の端にあった川俣駅は廃駅となり、群馬県側の現在地の川俣駅に移った。一時、旅館や飲食店なども出来て賑わったが、廃駅となった後はすっかり草原に帰したのであった。花袋はこの僅か四年余の幻の駅を題材にして『再び草の野に』を書いている。

現在も草深いままで、一時繁華した名残りはまったく見られない。

この頃になると、昔では考えられないほど交通は便利になり、花袋は足繁く羽生の建福寺にやって来ては、心を休めるのであった。リフレッシュすると、また都会の人の渦の中へ、そして「文学」という戦場に帰って行くのであった。花袋はこともあろうに、妻の兄にあたる玉茗に、愛人との愛欲問題まで相談したり、時にはその愛人（飯田代子）を建福寺まで連れてきたこともあった。どんな神経をしているのかと疑いたくなるが、それは花袋の愚直さ、正直さ、不器用さによるものであることを玉茗は承知していたのであろう。花袋の相談にも乗ったし、酒も酌み交わした。どれだけ、花袋は玉茗に救われたであろうか。もし、花袋に玉茗という友がいなかったとしたら、どうであったろうか？…と、つい想像してしまうほど、花袋にとって玉茗という友の存在は大きかったと言えよう。玉茗も花袋にとっての恩人であると言えるだろう。

建福寺には、文豪巡礼記念句碑「山門に 木瓜(ぼけ)咲きあるる 羽生かな」がある。これは、何かというと、建福寺第二十六世 透禅正樹 住職（現住職）がそのいわれについて記しており、「昭和十三年四月、『田舎教師遺跡巡礼の旅』として、横光利一、片岡鉄兵、川端康成の三名の作家が羽生を訪れました。右の句は、その際、横光利一が宿の扇面に書き残したものです。片岡鉄平はこの時の記録を『文学的紀行』に記し、また川端康成は沢山の写真を残しました。昭和五十二年、貴重な遺産として、扇面を拡大した句碑が羽生市によって建立されました。当山二十六世 透禅正樹 記」とある。

古刹(こさつ)の春にふさわしい、木瓜の花が咲き乱れる建福寺の情景を詠んだ句である。

4　森鷗外と花袋

明治三十七（一九〇四）年三月に日露戦争が勃発(ぼっぱつ)した時、森鷗外は陸軍の第二軍軍医部長であった。

日露戦争第二軍写真班員、花袋は後列左から二番目
〔田山花袋記念文学館所蔵「日露戦争実記」10 編より〕

一方、花袋は「博文館」の社員であったが、第二軍従軍記者に選ばれ、共に同軍において行動することになり鷗外との接点ができた。鷗外の出征期間は約二年、花袋は約半年であったので、花袋はかなり先に帰国したことになる。鷗外は高位の官職にあり、花袋は民間の一記者に過ぎない。任務上の立場も軍における重要性もまるで違う。しかし、花袋は鷗外に会いたくて、恐る恐る面会を求め、鷗外のいる宿舎に赴いた。お付きに名刺を渡すと、佐官クラスでもなかなか会えないという軍医部長に会えることになったのである。その後も十数回にわたって鷗外と交流し、その様子は、花袋の『第二軍従征日記』や『東京の三十年』に書かれている。花袋は文芸にたずさわっているからこそ、鷗外と会うことが出来、文学を語り合うことができたと感激したのである。さらに、花袋は従軍中、流行性腸胃熱を患ったり、足を負傷したりしたが、鷗外の計らいによって軍医部や野戦病院で治療をうけることができた。

花袋にとって、鷗外と出会えたことの意味は大きく、また、同じ第二軍に鷗外がいたことは花袋にとっては心の支えであった。

『東京の三十年』の中に「陣中の鷗外漁史（ぎょし）」という文章がある。鷗外との出会いの感激をよく伝えるものであり、抜粋し、ここに記しておきたい。

〈軍医部長鷗外との面会〉

鷗外氏に始めて逢ったのは、日露戦役当時、第二軍がこれから宇品を出発して、何処かの地点へ向うという時であった。場所は広島の大手町の大きな旅館の一間。私は志願した写真班の一員として、一面従軍記を書くべく、第二軍と一緒に、広島市へと来ていた。（略）丁度その時、鷗外氏は軍の軍医部長で、確か大手町の長沼という旅館におられた。第二軍医部、そう白地に黒く書いた旗を見るたびに、私は是非お目にかかりたいと思った。しかし、中佐位の人でも、すぐ呶鳴りつけられるのだから、将官などには、とても逢えまいと思って躊躇していた。どうしても逢いたいと思ったので、ある日の午後、思い切って、名刺を其処に持って行った。

「閣下ですな。」こう言って、其処にいた看護卒らしい兵士は私の異様な服と名刺とを比べて見て、「ちょっと待って……」こう言って奥に入って行った。すぐ戻って来て、「此方へ。」こう言って縁側の処まで伴れて行って、「閣下はその二階におられる。」

森鷗外
〔国立国会図書館提供〕

私は文芸のありがたさを感ぜずにはいられなかった。それに私はまだ作家として何もしていやしない。それにもかかわらず、佐官でもめったに逢ってくれないこの戦時に、軍医部長が別に不思議もないようにして逢ってくれるとは！これも文芸のお蔭だ。

鷗外氏は、「まア、此処に来給え。花袋君だね、君は？」

この「花袋君だね、君は？」が非常に嬉しかった。

鷗外氏の個人主義は、私は昔から好きだが、こういう風にさっぱりした物に拘泥しない態度は、何とも言われない印象を若い私に与えた。

〈「君の野糞をのぞみし尖山子」〉

金州の戦、得利寺の戦、一戦争あると、軍医部はなかなか忙しかった。鷗外氏もじっとしてはいられないようだった。得利寺戦の後、暫くいた尖山子という村は、遼東ではちょっと風景の好い村で、樹の影なども多かった。そこにいた時にも、敵襲があって大騒ぎした。後に、帰国してから、戦地にいた氏の許に歌を書いて送ると、「君の野糞をのぞみし尖山子」ということの書いてある葉書を私によこした。戦地では大抵誰でも野糞をやるのだが、私のよく行く畑が、丁度軍医部の後になっていたので、氏はそれを指して言われたのである。「えらい処をみられたもんだ。」と私も考えて可笑しくなった。

〈暇乞い〉

蓋平、大石村、海城、常に、私は氏と一緒だった。殊に忘れられないのは、海城の箭楼子で、私が熱を病んで、軍医部の御厄介になったが、その時、氏に、「軍医部に来ていたら、どうだ。」こう言ってくれたので、私はそこに行って寝ていた。熱が烈しいので、チブスになる虞があった。

私が寝ていると、氏は、「どうも取れないか、熱が……。」などと言って私を慰めてくれた。

遼東で別れをつげて帰る時、暇乞に行くと、「好いな、羨ましいな。こっちはこれから段々遠くなるばかりだ。」こう言って鷗外氏はさびしく笑われた。

花袋と鷗外との関係を見ていくと、鷗外は花袋にとってやはり恩人といえるだろう。日露戦争に第二軍従軍記者として遠征した時も前述のごとく大変お世話になった。鷗外と接し得たことも、その後の花袋の文学への力になったと思われる。

鷗外は、後年、文芸上において、花袋らの自然主義文学に対して批判するようにもなるが、こうした鷗外の批判は自然主義をさらに磨き上げる上での反発エネルギーになった。

「田山花袋記念文学館」の「鷗外と花袋―近代の文学を築いた二人の接点―」によれば、「当時は紅葉、鷗外、逍遥などの盛んな時代であったが、私は殊に鷗外さんが好きで、『柵草紙』などに出る同氏の審美学上の議論などは非常に愛読した。鷗外さんを愛読した結果は私もその影響を受けた。」（―花袋「私の偽らざる告白」より―）とある。

森鷗外
〔国立国会図書館提供〕

また、『東京の三十年』には「漁史の真面目な評論の前には誰も屈服した。逍遥博士ですら受太刀であったのだから、傲岸な紅葉山人も後にはそれを承認せずにはいられなかった」と誰も太刀打ちできない文学論を持っていたと述べており、畏敬の念をもっていたことがわかる。

第三章　文豪田山花袋

1　花袋の全盛期

日本自然主義文学の確立

『東京の三十年』の中に、「N氏の書斎を私は私の書斎のようにしてぐんぐん入って行った。私は其処から種々な本を借りて来た、ヴィクトル・ユーゴオ、アレキサンダー・ヂュマ、つづいてウィルキー・コリンス、チャアルス・ヂッケンズ、こういう本を引張り出して来ては、わからずなりにも日課にして読んだ。『君は豪い。よく読むな……。』こう褒められるのが嬉しかった。」とある。

N氏とは、同郷館林の野島金八郎、当時東京帝国大学法科の学生であった。花袋は、この野島の書斎から、貴重な西洋の書物に触れ、西洋文学へと誘われていくのである。

〈もーぱっーさんとの出会い〉

『東京の三十年』の「KとT」の中で、花袋がもっとも影響を強く受けたモーパッサンの書物との出会いについての一文がある。Kは国木田独歩、Tは田山花袋である。

「町の通に古い洋書店……一面雑誌店をかねたような洋書店があるのを発見して、何の気なしに、ひやかし半分に其処に入って行ったが、突然 Maupassnnt の名がかがやいて見えた。Tはそれを引っ張り出した。（略）Maupassnt の字が寝ても覚めても、Tの頭を離れなかった。（略）余りTが大騒ぎするのをひやかして、「もーぱっーさん……何だ、もうばアさんだ。もう婆さんはいやだね。」などと言った。（略）「売れなけりゃ好いがな。」「大丈夫だよ。ああいう本を買う奴はないよ。」それでもTには心配になった。「もうーぱっさん、もう――ぱっ――さん。」と口癖のように言った。（略）それは紀行文の原稿料がH書店から来た日であった。その稿料と言っても、僅かな金であったけれど、Tは一番先にその本を買おうと思った。（略）Tは踊る心を抱いてそれを買った。」とある。

花袋はその時の印象を、「私はガンと棒か何かで頭を撲（ぶ）たれたような気がした。思想が全く上下を転倒させられたような気がした。」と述べている。

モーパッサンから感得したことは、端的に言えば「自然のままに、赤裸々に、大胆に」ということであったが、これは、独歩から教えられたことでもあった。

和田謹吾氏は、「感傷的な空想にたよって小説を構成してきた花袋にとって、『事実を書かなければ駄目だ、空想を棄てて事実を書け』いう独歩の教訓は大きかったはずである。『それが僕が今日兎（と）も角（かく）も、自家の腹中をぶちまけて、忌憚（きたん）のない告白をし得（う）るに至った』原因だと花袋は回想しているほどである。」と述べている。

国木田独歩はそれほどに花袋に感化を与えて来た。花袋は、独歩の才能に一目置いていたところがあった。

〈紅葉の死の後〉

花袋が文学を志していた頃の明治の文壇というのは、それ以前の近松や西鶴(さいかく)を踏襲(とうしゅう)する、戯作(げさく)が主流であった。その代表格が尾崎紅葉である。紅葉には作品は面白く読めなければならないという持論があった。人気は絶大で、新聞に紅葉が小説を連載し始めると、人々は明日の新聞を待ちかねると言った状況であったという。そんな紅葉も西洋文学の繊細、細密な描写に感心し、刺激を受けていた。もし、紅葉があと十年長く生きていたら、どんな作風になってどんな作品が生まれていたのだろうか……と、ふと想像したりした。

明治三十六年に硯友社(けんゆうしゃ)の領袖(りょうしゅう)尾崎紅葉が亡くなった。

和田謹吾氏は、「とにかく花袋の師であり、批評の上ではどのように反発して見ても文章力や文壇的な重みの上ではどうにも敵し得なかった紅葉のその死が、文壇に清新の風を送り込み始めたことはまちがいない。」と述べている。

花袋らの新進作家たちの頭の上から紅葉という重しがなくなり、一気に新しい風が吹き始めたと言える。自由の気がみなぎり始めた。

国木田独歩は『独歩集』、島崎藤村は『破戒』を発表し、文壇で大きく注目されていた。

親友二人から、花袋はひとり取り残されてしまうかたちになり、焦るばかりであった。そんな花袋のところに「新小説」から巻頭小説一二〇枚前後という思いがけない執筆依頼があった。

私のアンナ・マールと『蒲団』

『東京の三十年』によれば、「隠して置いたもの、壅蔽して置いたもの、それと打明けては自己の精神も破壊されるかと思われるようなもの、そういうものをも開いて出して見よう」と考え、「私のアンナ・マール」、つまり、心に秘めた恋する女性のことを書くことを決断したのである。モウパッサンの所謂「皮剥の苦痛」を我が身のこととする覚悟の執筆であった。

そして、書き上がったのが『蒲団』である。既に、本書第一部の第三章「『残雪』執筆の周辺」の「3 花袋と岡田美知代」のところで記述しているので、内容については省略するが、『蒲団』は花袋の予想をはるかに超え、社会にセンセーショナルを捲き起こした。世間の風当たりは何の責任もない岡田美知代に向かっていった。「はしたない」、「節操がない」といった批判に晒されたのである。

広島県の名家岡田家にも穏やかならざる世間の風評が吹き込んだに違いない。

岡田美知代は、花袋に悲痛な抗議の手紙を書いた。

花袋は、「まことに申訳がない、御詫しますから何うか堪忍して下さい。御手紙を頂戴した時は何うしようかと思った。（略）」と美知代にお詫びの手紙を書いた。

『蒲団』は、文学的評価が両極に別れる。内面の恥部、その真実をさらけ出した作品として、これまで誰も出来なかったことを成したという評価と、その一方では文学作品として拙い、小説としても上手く描けていないなど手厳しい評価もあった。

しかし、花袋が粉砕覚悟で全身でぶつかっていっただけに、その「恥部」をも描き出しただけに、これまでの空想による作品（花袋が言うところの「鍍された文学」）などとは違って、他を圧倒するような迫力があったと評されてもいる。

とにもかくにも花袋は、『蒲団』によって「事実、真実を書く」という新しい自分の文学スタイルを掴んだ。この後、他の作家たちに大きな影響を与えていくことになる。

「花袋は近代文学に革新をもたらした」と言われるが、これは大方が認めるゆるぎない評価であった。

そして、日本の自然主義文学の確立に大きな貢献をしたのである。

〈「皮剥の苦痛」と「平面描写」〉

さらに、花袋は、母てつと兄実弥登夫妻の確執をリアルに描写してみせた『生』という作品を書いた。花袋は、いくらリアルと言っても母の醜悪な部分をも抉り出すような描写には辛いものがあった。そして、「皮剥の苦痛」（自分の皮を剥ぐような苦痛）に耐える「平面描写」という表現方法をとったのであった。

「平面描写」というのは、「作者の主観も感情も主張も加わえず、まったく客観的に事象を描写していく」、つまりは、事実を私情をまじえず冷徹に淡々と書き上げるということであろう。

島崎藤村らの自然主義の作家は、この花袋のスタイルに倣うかたちで、次々に話題作を発表した。

2　自然主義文学の隆盛

明治四十年（一九〇七）に『蒲団』がセンセーショナルを捲き起こしたあたりから明治末年頃までが、自然主義の全盛時代と言われている。

二十代前半の頃から互いに切磋琢磨して文学の道を歩んできた花袋と藤村は自然主義文学を代表する、近代文学史に名を刻む作家となった。

〈花袋の『生』と藤村の『春』〉

特に明治四十一年に読売新聞に連載された『生』は、花袋の家族間の愛憎、とりわけ母の醜い内部をも赤裸々に曝け出し、巧みな描写力で高い評価をされた。

『東京の三十年』の「『生』を書いた時分」の中に、「島崎君の『春』が『朝日』に連載されたので、従って、一層奮励しなければならないような気がした。」とあり、かなり意識していたようであった。藤村はあまり花袋のように自分の内面をはっきり出さない人のようであったが、実際は花袋同様に相当意識していたと推察される。この頃、花袋、藤村らと同じグルウプの国木田独歩は結核に冒され茅ケ崎の南湖院の病床にあった。花袋は『生』の原稿が三、四回余裕ができると独歩を見舞いに出かけていた。

花袋と独歩とは、渋谷の「丘の上の家」、日光の照尊院での共同生活の頃からずっと心を通わせていた。この頃、『生』も『春』も世間で大変好評であったが、病床で毎朝、二人の新聞小説を読んでいた独歩は、「どっちもまずいな。まァ、しかし拙い旨いは言わないとしても、あんなだらだらしたものを新聞小説に書くものがあるもんか。」と言ったと、花袋は『東京の三十年』に書いている。

こうした独歩の毒舌にかかると、文豪と称された花袋も藤村も形無しで、その三者の関係が筆者としてはつい面白く、特に「どっちもまずいな」という独歩の言葉に笑ってしまった。

それからまもなく独歩は亡くなった。いつもなら「書けるものなら書いて見ろ」と対抗したいところであったろうが、それも出来なくなった。

花袋にとっても、藤村にとってもかけがえのない友人であった独歩は旅だっていった。

自然主義と龍土会

花袋は、「麻布竜土町の竜土軒で会を開いたので、竜土会という名ができた。（略）誰が一番先にそこに行ったか。恐らく蒲原有明君か、でなければ平塚篤君か。この二人の中であると思う。そして二人が国木田君を其処に引張って行った。この会では、最初は国木田君がその中心であった。つづいて、柳田君がやって来て例の巧い談話をして人々を喜ばせた」と、『東京の三十年』の中で「龍土会」について述べている。

「龍土軒」は、明治三十三年（一九〇〇）に創業された都内でもっとも古いフランス料理の店として知られる。初めの頃は岡田三郎助らの洋画家らが常連客としていたようであるが、やがて田山花袋、国木田独歩、蒲原有明、島崎藤村、柳田国男、小山内薫、正宗白鳥らの文人・作家たちが、美味しい料理を食わせる店が出来たということで、会合の会場として利用するようになった。

龍土会の幹事は交替で務めたようである。「田山花袋記念文学館」には正宗白鳥や、蒲原有明が幹事であった時の案内葉書が残っている。花袋も三回幹事を務めているが、その時には郷里館林に近い川俣の旅館「吉川」で開催したこともあった。この自由な気風で論じ合い、飲みかつ食べて、騒いだ仲間を世間（文壇）では「自然主義」の勢力と見ていた。

「龍土軒」（明 39 建築）の全景
〔「龍土軒」店主 岡野利男氏提供〕

〈談論風発の龍土会〉

龍土会の会場は、「龍土軒」ほか、柳田国男宅、柳橋「柳光亭」など別の会場も利用しているが、やはり中心の会場は「龍土軒」であった。龍土会は、明治三十七年（一九〇四）、「風骨会」として始まり、大正六年（一九一七）五月「龍土軒」で幕を閉じた。筆者が「定本 花袋全集」の年譜を調べ、数えてみたところ計十九回開催されたようであるが、自然主義が全盛期を迎えた明治四十年から四十三年が特に盛んであった。やはり自然主義が全盛の時期には、毎回、談論風発、熱気もありずいぶんと盛り上がっていたようである。

全盛期には自然主義派として文壇を席巻（せっけん）した感があったが、実は個々自由で、何かこうでなければという制約はなく、気さくに談じあい、独歩などは「自分が自然主義であると思ったことはない」とさえ言っている。談論もあったが、寧ろ、ただ酒を飲んで、ふざけ合い、時には大きな声で喧嘩口論したりといったようなこともよくあったようである。メンバーは多士済済であった。

森鷗外は、「明治四十一年三月十七日付けの上田敏に宛てた書簡の中で、『当方所謂文壇の批評は国木田、田山の外には作者はないかのような偏頗（かたよっていること）になって、漱石という声すら今日は殆ど聞えません。」（田山花袋記念文学館「特別展 鷗外と花袋」）と書いている。

この頃の文壇は自然主義中心になっていた。夏目漱石の存在すらかすむ勢いであった様子が鷗外の書簡でわかる。「龍土軒」を舞台に自然主義は全盛を迎えていた。

しかし、大正に入ってからは、龍土会にも次第に翳りが見えはじめ、僅かに三回しか開催されなかった。昭和七年（一九三二）五月に花袋の三周忌を「龍土軒」で開催したのが最後になった。

花袋と「龍土軒」

花袋は『東京の三十年』の中で「その時分は、竜土軒は既に今の新築の洋館になっていて、あの茶屋上りらしい細君がいろいろチヤホヤするようになっていた。自然派の文芸は、竜土会から生れたなどと世間から言われたので、後には、雑誌記者なども多くやって来て、二十五、六人の大きな会になったことも尠くなかった。竜土会は大会を柳橋で開くようになってから、段々衰えて行った。」と述べている。文学界にも新しい時代が押し寄せて来ていたのである。

「龍土軒史」に見る龍土会

龍土会の前身「土曜会」の会合が柳田国男の家で行なわれてきたが、明治三十七年（一九〇四）に麻布の「龍土軒」に会場を移して、初めて外で行なわれるようになった。

「龍土会」と呼称するようになった経緯については、「龍土軒」の三代目オーナー岡野武勇氏の編著「龍土軒史」にその記述がみられる。これによると、蒲原有明が「龍土会の記」と題して、「龍土会」の誕生逸話を書いており、明治三十七年十一月の晩餐会を皆で相談して「凡骨会」として催したところ、「龍土軒」の主人がこれを喜んで参加者全員分、献立表を印刷してテーブルに置いたということである。それには誤植があり、「風骨会」とあったが、むしろこのほうが良いと大笑いしたとあり、この献立表があるので、「風（凡）骨会」が「龍土会」となったのは翌年の三十八年春であることがわかるとある。

〈小山内薫と「龍土軒」〉

小山内薫などは、「私のような後輩は、この会へ出席できるというだけでも、非常な感激であり、非常な光栄だった。龍土軒の主人公は八字髭を生やした品の好い男で、耳が少し遠かった。細君は赤坂の八百勘で女中をしていた人で始終粋な丸髷に結っていた。

ひどく料理に凝る家で、殊に龍土会の時は凝り過ぎるという評があった。紅葉山人のなくなった後だった。『紅葉山人の白骨』というのが献立にあるので、みんなが驚いた。それは、鹿か何かの髄のついた骨で、楊子代りに、おもちゃのような塔婆がついているものだった。龍土会では酒がはずんだ。議論はしょっちゅうのこと、喧嘩も折々あった。現に私も会員の一人に杯を投げつけられて、温厚な柳田氏を困惑させたことがあった。併し、あの時分は、みんなお互に遠慮しなかった。

小山内薫
〔国立国会図書館提供〕

作の上のことでも、生活の上のことでも、忌憚なく物を言いあった。もうああいう小空気は現代にはない。（略）談論風発では、何といっても国木田独歩が第一だった。文字通りに口角泡を飛ばして、当時の旧文芸を罵倒した。あの刺すような皮肉は、今もなお耳底に残っている。」と述懐している。

当時の「龍土会」と「龍土軒」の様子がよくわかる一文であろう。それにしても、「紅葉山人の白骨」とは初代店主も思い切って洒落てみせたものであった。独歩らの驚いた顔が見てみたいようであった。

〈二・二六事件と「龍土軒」〉

昭和十一年（一九三六）二月二十六日、ある事件が起きた。いわゆる二・二六事件である。歩兵第一連隊と第三連隊の将校達による叛乱であった。若い純粋な将兵たちは、国の腐敗を正すという信念の基に行動したものであった。高橋是清大蔵大臣、斉藤実内大臣（共に総理大臣を経験）はじめ多くの要人が襲われ、高橋、斉藤両大臣は死亡した。岡田啓介総理大臣は辛うじて脱出し難を免れた。昭和史に残る大きな事件であった。

その時分、第一連隊は赤坂檜町（今は防衛庁）に、そして、第三連隊は通りをはさんだ向側新龍土町（現在の東大生産技術研究所）にあって、将校達は盛んに「龍土軒」を利用したという。日本の陸軍はフランスの軍制を導入した関係で、将校にもフランス好みが多かったようである。時代は異なるが、このすぐ先に住んでいた明治の元勲 乃木将軍も来客があると「龍土軒」のフランス料理を出前したという。

将校たちのクーデター計画はこのレストランで謀議されて勃発した。首謀者たちが「龍土軒」に宛てて書き残した遺書が今でも保存されているという。なお、二・二六事件の首謀者の将校たちは、独歩の住居であった渋谷の「丘の上の家」の近く、衛戍監獄(えいじゅかんごく)で処刑（銃殺）された。その時、時刻を合わせて代々木練兵場で射撃の音が鳴り響いた。処刑の銃殺の音をかき消すためだったという。

〈俳優 池部良と「龍土軒」〉

池部良は、「龍土軒」三代目の岡野武勇氏の軍隊における上官にあたり、「龍土軒」とは縁が深い。三代目は、著書「龍土軒史」の中で「池部良様の父君になられる、池部鈞画伯は龍土軒の古い顧客であられ、龍土軒に現在二枚の画伯の絵が保存されている。一枚がランチョンマットに印刷されている。これは二代目の甚内の似顔絵である。誠に不思議なご縁である。」と記している。

池部良は名優として知られていたが、随想の名手でもあった。筆者は、「銀座百点」に池部良が書いていた随想の愛読者であった。映画においても渋い演技が印象に残っている。

昭32、バラック建ての「龍土軒」前で小隊長池部良を囲んで除隊後の記念写真。前列右から４人目が池部良、後列左から４人目が三代目武勇
〔「龍土軒」店主 岡野利男氏提供〕

「龍土軒史」の中にも、三代目店主との縁から、『主流をゆくフランス料理』と題した池部良の次の文章が掲載されている。

「麻布六本木からそれて、元の三連隊の入口に、大体図の如き料理屋、いやレストラン龍土軒がある。其の昔、国木田独歩、島崎藤村、柳田、小山内、田山、和田作、岡田三郎助の諸先生が龍土会なるものを作り、近松秋江をして『自然主義は、龍土軒の灰皿から生れた』と言わしめた程の盛を極めたフランス料理屋である。それは五十年前の話、今はかなしくも、小さな家に代って二代目、三代目が伝統を継いでいる。小さな家だけれど静かで、シチューの類は、まことにうまい。亡くなられた秩父宮さんは『私が作った昼飯でなければ、お昼は召し上らなかった』と二代目は自慢していた。三代目のせがれは、オカシなことには、軍隊時代、僕が小隊長をしていた中隊にいた。小柄だが熱心居士なので、きっと龍土軒の名跡を立派につげると思う。」

田山花袋は、大正七年（一九一八）七月頃、池部良の父 池部鈞画伯らと草津方面への旅行をしていることが、「定本 花袋全集」別巻の「年表」の中に記されている。池部画伯は花袋とも縁があったのである。

〈自然主義は龍土軒の灰皿の中から生まれた〉

龍土会では、西洋文学等の作家論や作品論について談じあったり、また、お互いの最近作の批評なども出て、あれはいい、これは拙いと、時には冗談交じりに、時には侃々諤々論じ合ったようである。「自然主義は龍土軒の灰皿の中から生まれた」などと言われた所以である。

〈乃木将軍と「龍土軒」〉

『龍土軒史』の中で岡野武勇氏は、歴史に名を残す乃木希典将軍についても記している。

乃木希典将軍
〔国立国会図書館提供〕

「乃木将軍は赤坂乃木邸に住まわれていたが、来客があると龍土軒より出前を注文された。また時に将軍ご自身も龍土軒に単身でお越しになり、そして二階の和洋小室を好まれた。二代目甚内がよく話していたが、乃木将軍がご来店の時は調理場にいてもよくわかった。乃木将軍は御足が悪いので、軍刀を杖の代わりにつかれた。一段一段の軍刀の音が響いて聞えた。料理のお好みは野菜スープ、コロッケ類とデザートであった。乃木将軍はドイツに留学されたこともあり「質素」である。乃木将軍家でわかるが舶来趣味もおありのようであった。菊松にツボを下された。」とある。

菊松とは初代店主の名前である。乃木将軍は、乃木坂という地名に名を残し、また乃木神社に神として祀られている。

柳田国男と龍土会

柳田国男は、花袋や藤村より三歳下であったが、たいへん学識も高く、後には、詩歌や小説から遠ざかり、民俗学に移っていく。

日本民俗学の先駆者であり、第一人者であった。代表作に『遠野物語』がある。しかし、その後も独歩や花袋、藤村らとは生涯交友が続いた。自然主義を、花袋、藤村らと共に積極的に推し進めた。

柳田は自分の足で全国を踏破、調査して得た知識や話材を花袋らに提供することがあった。

ある脱走兵が事件を起こして銃殺された話材を提供したところ、興味をそそられた花袋は現地取材を徹底的に行い、話題作となった『一兵卒の銃殺』を書いたのである。

また、藤村に対しては、「名も知らぬ遠き島より流れ寄る椰子の実一つ…」という「椰子の実」という詩の基となる話材を提供したと言われる。この詩は昭和十一年になって曲が付けられ、広く歌われ世に知られるようになった。

柳田は、龍土会の発祥に関わっている。花袋や蒲原から「お前の家でやろう」と言われて、最初の頃は人数も少なかったので、柳田の家の養父母が気を使ってくれてもてなしてくれたが、人数が多くなり、家で開催するのは無理になった。蒲原が「あそこはうまい料理があるんだがな」と言い出した。それがイギリス大使館のすぐ後ろの横丁を上がったところの「快楽亭」であった。

イギリス大使館のコックをしていた岡野菊松の店であった。菊松から「そのうちに私も大きく造りますから、ぜひ最初からのひいきになってください」と言われたそうである。場所を麻布の新龍土町に移して大きな西洋館づくりの店を構え、地名をとって「龍土軒」と名前も変えた。

この当時としては珍しい、立派な西洋館のレストランである。三代目の岡野武勇氏の著書『龍土軒史』の表紙には「龍土軒」の建物の写真でなくスケッチ画が使われていた。余りにも見事な絵なので、現店主で四代目の岡野利男氏にどなたの絵かとお尋ねしたら、画家の風間完が描いたものであるとのことであった。風間完も「龍土軒」の常連客であり、この絵を惜しげもなく呉れたそうである。風間完は、小説雑誌等に綺麗な挿絵をよく画いていたので、筆者の記憶にも残っている。

鉛筆画の名手でもあり、「龍土軒」のスケッチ画もその一つである。

正宗白鳥と龍土会

正宗白鳥（はくちょう）は龍土会によく顔を見せていた。白鳥は龍土会について、「私などが文壇に出た頃、『龍土会』と名づけられた、新進気鋭の文学者の会合が、この龍土軒を会場として、毎月催されていて、知名の自然主義の作家は多くその会員であった。私は龍土会が盛りを越した頃に加入したのであったが、国木田、小山内、岩野、蒲原、中澤などの諸氏が、元気のいい声で、議論を闘わし、饒舌（じょうぜつ）を弄（ろう）

正宗白鳥
〔国立国会図書館提供〕

していたことが、私の記憶に明治文学史の一現象として、鮮かに刻まれている。

田山、島崎氏も無論会員であったが、どちらもおとなしかった。田山氏は、あの頃の作家仲間では、やはり巨大な作家であったと、私は今思っている。他の誰彼れに比べて、氏は凡庸であるらしく見えるが、凡庸を押進めて行って、才智を弄しないところに、巨大な作家の風貌がおのずからあらわれていると云っていい。」と述べている。

〈「正宗…」〉

花袋の影響を受け、花袋にいつも目を向け、身近にいた感のあった正宗白鳥は、読売新聞の文芸批評で健筆をふるっていた。

花袋の作品に憎らしいほどの辛辣な批評を加え、花袋を悔しがらせることがしばしばあった。しかし、その実、敬愛の念を抱き、花袋を作家として近代文学の中でもっとも巨大な存在として位置づけていた。自然主義を牽引した中心はやはり花袋であり、才能のひしめく文壇にあって最も大きな存在であったというのである。

花袋は、『東京の三十年』の中で、正宗白鳥について、「正宗君が早稲田で秀才であったことは、よほど前から私は知っていた。ある日、H館の編輯室で、高山樗牛君が誰かに言った。『え、正宗君って奴は出来る奴だ。秀才だ。群を抜いていますからな。』（略）『豪いんだな、やはり……。』こう私は繰返した。……正宗君は新しい本を沢山に読んだらしかった。しかし、逢っても碌々話をしないような質で、黙って聞いていて、そしておりおり奇警な批評をその中に雑えた。いつも消極的なことばかり言っていた。（略）正宗君はいつまで経ってもさびしい人である。そしてそれをじっと押えていくことの出来る人である。『正宗……』と言って上り口に立って、いなければ何も言わずにさっさと帰って行くことの出来る人である。」と、花袋は白鳥を認めていた。

花袋を訪ねて来た若い正宗白鳥は、妻里さんが玄関に出て行くと、腕組みをし「正宗…」と言ったまま立っている。不在の旨伝えると黙って帰って行く。里さんは、花袋に「変わった人ね」と言ったそうであるが、大先輩であり、文豪として名を馳せている花袋のお宅に来て、腕を組んだまま「正宗…」の一言だけとは、やはり変わった人であろう。

現在の「龍土軒」

現店主の岡野利男氏は十八歳の頃、語学の専門学校でフランス語を学んだ後、フランスに渡り、パリなどのホテルやレストランで十一年間料理人としての修業を積んだそうである。四代目は、「『龍土軒』という店がなかったなら、帰国することはなかったでしょう。」と、料理人として本場フランスで勝負したかったという、気概に溢れた若かりし頃のことを思い出したかのような、そんな表情をされた。

「龍土軒」は、その昔は、爵位（公侯伯子男の身分があった。たとえば「龍土軒」の常連客であった乃木将軍は伯爵であった）をもつ方々や、高位の軍人、一流の画家や作家等が常連客として訪れていた。初代の菊松が立派な西洋館を建てることができたのもそういう方々の後押しがあったからであろうと察せられたが、しかし、あれだけ立派なレストランを建てるにはやはり莫大な借金をしたそうであり、二代目甚内はその借金を三代目武勇氏が小学生のころまで返済し続けたということであった。

「龍土軒」店主 岡野利男氏と静子夫人

初代 菊松は自らを岡野男爵と称して華族会館を紋付袴姿でどうどうと出入りしていたとのことで、菊松とてつの仲人として明治天皇の随従（侍従）岡沢閣下が立ちあった等々、実に豪快な人で逸話には事欠かない。このように「龍土軒」は、今日まで実に数々の歴史を刻んできたのである。

　しかし、四代目 利男氏は「歴史だけで店が経営できるわけではありません。やはり、レストランで大事なのは料理です。味です」と言われたが、経営理念の一端を垣間見たような気がした。

　現在の「龍土軒」は、昔の西洋館のあの大きなレストランと較べれば小さくはなっているが、お洒落で落ち着いた品格を感じさせる雰囲気のお店であり、ゆっくり料理を楽しむことができる。

　池部良が「今はかなしくも、小さな家に代って二代目、三代目が伝統を継いでいる。」と書いていたが、麻布新龍土町にあったあの立派な西洋館はどうしたのだろうか、なぜ、二代目の甚内氏の時にバラック建ての小さな店になってしまったのかと、筆者は、ランチをいただきながらそんな疑問が脳裏をかすめた。店主の奥様の静子さんが料理を運んでくれ、こちらの問いかけにもいろいろ答えてくださった。

実は、「昭和二十年の東京空襲で焼失してしまったんです。」ということをお聞きし、疑問はいっぺんに氷解した。しかし、戦争で店を失っても何か補償があるという時代ではない。

そんな時に、「龍土軒」の味を惜しむ人たちが何とか復活させようと立ち上がった。何も物の無い時であったが、廃材をかき集め、建築家の坂倉準三等が尽力してバラック建ての「龍土軒」がなんとか出来上がった。そして、「龍土軒」の味が復活したのであった。

坂倉準三は、パリ万博日本館、神奈川県立近代美術館、大阪スタジアムなどの設計で知られる建築家であった。

そのバラック建ての「龍土軒」に、戦後十二年経過した昭和三十二年六月、池部良が小隊長をしていた軍隊時代の仲間が久々に集まり会食をした。その時に撮影したのが242頁の集合写真である。ランチョンマットには戦後の「龍土軒」に足繁く通った著名の常連客が揮毫（きごう）した書や絵が画かれている。林武、安井曾太郎等の画家や、円地文子、高見順等の作家の名前が見られる。

筆者は、ランチをたいへん美味しくいただき、満喫した後、店主ご夫妻の写真を撮らせていただいた。店の外に出ると、道を隔てて前方には青山霊園の緑樹が広がっていた。ここには、本著に登場する尾崎紅葉、国木田独歩、宮崎湖処子、志賀直哉、乃木希典、金井之恭の他、歴史に名を残す多くの著名人が眠っている。

3　花袋の晩年期

〈花袋追悼会の正宗白鳥の感想〉

筑摩書房「田山花袋集㈡」に、正宗白鳥の『田山花袋論』が所収されているが、その中で、麻布の「龍土軒」で開かれた花袋の三回忌の追悼会に出席した時の感想を述べている。

「龍土軒」については、十数年ぶりに訪れたとのことで、その家は昔のままで現代化した東京にこんな所があるのかと思われるような古色蒼然たるもので、仏蘭西で見た十八世紀の料理屋を思い出させたとあり、龍土会の顔ぶれ、その談論風発の議論等、昔の記憶が浮んで由緒のある歴史の跡を弔うような気がしたと述べている。追悼会には文壇の新人は一人もおらず、白鳥は自然主義文学凋落の影をそこに見たような気がしたとある。

花袋・藤村・秋聲〔田山花袋記念文学館提供〕

〈花袋と歴史小説―正宗白鳥の評―〉

花袋は晩年期、歴史小説に表現世界を見出した。正宗白鳥は、「木切れ一つなく裸体のままで浴室で殺された源義朝の悲痛な生涯」に、田山氏は自己を発見して一篇の歴史小説を創作したのであったが、それは、島崎氏の『夜明け前』に比べると、遥かに主観的であり、独断的である。しかし、作者の心境はよく分る。この『源義朝』出版記念会が田端で開かれた時に、作者が、『僕が文壇的に衰えたために、諸君が同情してこの会を開いてくれた』と、感傷的に云ったことを私は記憶に刻んでいるが、文壇、家庭、恋愛などで悲痛な思いに迫られている作者の心が、『源義朝』に現われているのが、我々の心を惹くのである。三篇の長篇（『百夜』、『残雪』、『恋の殿堂』）も、その気持を畳みかけ畳みかけ出したものに外ならない。そして、田山花袋一生の文学は、要するに人間に希望を与えるものではなかった。」と述べている。

『源義朝』出版記念会〔田山花袋記念文学館提供〕

白鳥は、花袋の『源義朝』について、「主観的であり」、「作者の心が『源義朝』に現れている」と述べているが、義朝が子ら（朝長、頼朝、千波）に向ける視線、子に犠牲を強いる罪の深さに懊悩する様や、また常磐との愛欲に捉われていくなかで、源氏一門に危機をもたらす描写などは、まさに花袋の姿を彷彿とさせる。

上の写真は、『源義朝』出版記念会の時の写真である。大正十三年（一九二四）十二月二十五日、田端の「天然自笑軒」において開催された。前列中央に花袋、左隣が正宗白鳥、二列目の花袋と白鳥の間に顔が見えるのが島崎藤村、左端に芥川龍之介の顔も見える。全盛期から比べれば寂しさを禁じ得ないところであるが、花袋を敬慕する文壇の錚々(そうそう)たる顔ぶれが集った。

『残雪』において文学上の脱却を目指した花袋であったが、本来の描写、芸術の世界に戻る中で、歴史人物に自己を投影した『源義朝』、『道盛の妻』など新スタイルの歴史小説を書いた。晩年期の花袋の文学への意欲を感じさせる作品であるといえよう。

4 花袋とふる郷―館林への思い―

終生変わらない郷土愛

花袋はふるさとへの思いを多くの作品の中で、懐かしそうに時には切ないほど感傷的に、繰り返し書いてきた。ここでは、「田山花袋記念文学館」が発刊した「特別展 私の大きくなった町―花袋が描いた町の発展と変化―」を参照し、館林町の発展を喜ぶ花袋の記述を抜粋しておきたい。

「将垂六十翁　宵々夢故郷」(今まさに還暦を迎えようとしているが、毎晩のようにみるのは故郷のことであるよ)―漢詩「病中雑誌」より―

大正 11 年 1 月 代々木の自宅にて〔「花袋全集」(昭 11 刊) より〕

花袋は最晩年に自分の病状を漢詩にして残しているが、その中の一節である。

「六十翁」、つまり還暦になろうとしている頃に作った詩である。

花袋は数え六十歳（満五十八歳）で逝去しているからその直前に作った詩であろう。毎夜見る夢は館林の城沼や、その畔の生家や内伴木に移り住んだ旧居などのことだったのである。

十四歳で離れた故郷　館林であったが、その故郷がどんなに良かったのだろうかと、花袋の思いのほどが伝わってくるようである。

筆者には、故郷を心から懐かしく大切に思う気持ちこそが、花袋の作家活動における大きな原動力になっていたのではないかと思えてならない。花袋文学の原点は館林にあると言えよう。

最後は喉頭癌で物も食べられないほどになりながら、創作への意欲を失うことがなかったと前田晁氏は傍らで花袋を見ていてそう感じたそうである。

武士の世が終わり、すっかり暗く沈滞してしまった館林の町に、駅が出来、製粉会社が出来、紡績会社が出来、町に活気が生まれ、人々も明るくなった。そんな故郷の近代化の様子を見て、花袋は作品の中でその様子を嬉々として書いている。

「利根川の手前でつかえて居た鉄道は、鉄橋が出来上がってやがて開通した。（略）運送業ができる、製粉会社ができる、今度は更にモスリン会社が城址に建てられると言う。ついぞ見たことのない活気が古い街の隅から隅へと行き渡った。」―『縁』より―

「製粉会社とか紡績会社とかモスリン会社とかいうものが町の場末（ばすえ）に出来て、エンジン仕掛けの汽笛が時々町の平和を破るのはなんだか殺風景なような気もするが、これも都会の文明が田舎に及ぼした影響だと思うと、満更（まんざら）面白くないでもない。」―『姉』より―

「殺風景な」と言い、城下町の情趣にそぐわないようで歓迎出来ないかのようなことを書いているが、その言葉とは裏腹に、故郷の発展に花袋の嬉しさがにじみ出ているような一文である。

東武鉄道が足利まで開通したのは明治四十年のことである。東京両国橋から鉄道で繋がって飛躍的に便利になった。館林は東京から日帰りできる距離となり、料理屋や映画館などもできて賑やかになった。花袋は町を歩き、見違えるような発展に目を細めていたのではないだろうか。

〈製粉会社〉

「製粉会社」というのは、明治三十三年（一九〇〇）に創立された「館林製粉株式会社」のことである。後に日清製粉株式会社となる。創業したのは、正田貞一郎氏である。当時、国内消費の小麦粉の多くは水車製粉によるものであったが、海外から輸入された機械製粉の小麦粉の品質が優れていたため、その販売シェアを伸ばしていた。貞一郎氏は蒸気機関を動力とした機械製粉の導入に着眼した。

地元群馬は小麦の産地であり、原料は豊富にあった。そこで、アメリカから製粉機を輸入した。しかし当初は機械の組み立てができる技術者もいなかったため、カタログや原書を見ながら、ようやく設置できたのはなんと半年後であった。苦労の程がしのばれる。東武鉄道の開通を機に、明治四十年（一九〇七）、館林駅の西側に新工場を建設した。全国に市場を広げようとグローバルな経営を考えていた貞一郎氏は、翌明治四十一年に東京に本社を移し、さらに大きく事業を発展させるべく邁進していく。その原点である館林の工場は、現在、日清製粉グループが運営する「製粉ミュージアム」という「製粉」をテーマとした企業ミュージアムとなっている。館内を見て回ると、創業以来の日清製粉の経営理念が凝縮されているように思われた。

館林製粉（現 日清製粉）工場（明治40年建設）

正田貞一郎氏は、上皇后 美智子様の祖父にあたる方で、館林市の名誉市民第一号の称号を贈られている。若い頃は祖父の正田文右衛門（三代目）が経営する正田醤油のもとで醤油醸造業に従事していたが、自ら起業、館林製粉株式会社を創業し、多くの事業にも携り、昭和二十一年には貴族院議員にも勅選されている。上の写真は、製粉ミュージアム提供による創業期の館林製粉工場である。

写真右下に煙を吐きながら汽車が来るのが見える。まさに明治期近代化の象徴である。（日清製粉グループ製粉ミュージアム資料参照）

上毛モスリン株式会社〔館林市立資料館提供〕

〈モスリン会社〉
モスリンというのは、上毛モスリン株式会社のことで、明治二十九年（一八九六）に設立された「毛布織合資会社」が母体となっている。六年後の明治三十五年に「上毛モスリン株式会社」と名を変えた。近代的な設備、西洋の技術などを導入、最盛期の大正時代中期には、従業員二千人を抱える会社となり、産業面や経済面で町の発展を大きく支えた。「鋸屋根」や「赤レンガ」などの外観は、新しい時代を象徴する近代的な建物であった。（館林市教育委員会文化振興課編「特別展 私の大きくなった町 ― 花袋が描いた町の発展と変化 ―」参照）

明治四十五年（一九一二）十月二日に、花袋は、見違えるように発展した館林の近代産業、その象徴である「上毛モスリン」や「日清製粉」の工場を見学した。

維新後、武士の身分を失った旧藩士たちが青白い顔をして溜息をつき、暗くよどんだ空気に包まれていたが、雲がすっかり晴れて、郷里館林の町に勢いが感じられるようになった。その発展ぶりに大いに感激し、胸をなでおろし喜んで東京に帰って行った。

5　花袋の臨終

花袋は人生を締めくくろうとしていた。その最期の様子は様々な人によって書き残されている。門人の一人、白石実三は、「実に立派な臨終で、佐多博士も常人の及ばぬ達成した大往生だ。御覚悟のほどはお見上げ申したと言って居られました。」と伝えている。花袋は最期の時まで文学に徹したと言えよう。

〈今死ななければ恥になる〉

「田山花袋記念文学館」（平成27年 館林市教育委員会文化振興課 編）の中に、「昭和五年（一九三〇）五月十三日、花袋は五十八年の生涯を閉じた。脳溢血、喉頭癌と相次いで病を併発し、帰らぬ人となった。死の床についた花袋は、庭先で待機する報道陣の気配を感じ、『今死ななければ恥になる』と家族に語ったという。一生を文学にささげた花袋の死は、文学のひとつの時代の終焉でもあった。」と花袋の臨終について記述がみられる。

〈死の苦痛を味わいわけている〉

白石実三の「旧師を語る田山花袋先生」（「文芸春秋」）の中に、『死を凝視して』と小見出しを付けた文章があり、花袋の臨終の様子が描写されている。それには次のように書かれている。

「何にしても、あの偉大な体格であった。それが、喉頭癌とあって、いわば餓死されたのだから、発作が来ると、実に見てはいられないほどの苦しみであった。その苦しみと戦いながら、『実は死の苦痛を味わいわけているのでね、死苦というやつは、どのくらい辛いか、体験しているんだ』苦笑いしながら、そう言われた。不断の鋭い観察と推理は、特質となって、死の床まで続いたのである。自分が亡くなったあと、家人や周囲がどんな態度をするか、その心理も見たかったのだろう、逝去の三日ばかり前、目をつぶって死んだような真似をなされた。」

花袋が苦痛の中において、「実は死の苦痛を味わいわけているのでね、死苦というやつは、どのくらい辛いか、体験しているんだ。」と言うのも凄いし、自分が死んだら、「家人や周囲がどんな態度をするか、その心理も見たかったのか、目をつぶって死んだような真似をした」というのも、なんとも死の直前までその探究心が衰えず凄みを感じる。自分の死をも観察の対象にしてしまうのであった。

〈いよいよ文学がなくなったね。死ぬにはちょうどいい時だ〉

これも、白石実三の『死を凝視して』の中に書かれている文章である。

「頭脳は、過敏で、尖鋭で、明晰で、死の直前一時間前まで強く澄みきっていた。特に、あざやかに印象に残ったのは、異常な若々しい気持だった。青年の特色たる抗争心、反発心というものを、末期まで持続されて、重体に陥るまで文芸雑誌を手にされていた。『いよいよ文学がなくなったね。死ぬにはちょうどいい時だ』『生恥をかくよりも、死んだ方がよい、それに僕もいろんなことをして来たしね、遺憾はないよ』そう言いながら、月々の作品を片端から読まれて、縦横に批評された。漢詩で、文芸時評をしたのもある。その意気の壮んなこと、不治の病を宣告された重病者とは思われなかった。」

文芸雑誌を手に取ることさえできなくなった時、花袋はいよいよ自分の最期を覚悟したのである。

〈この世を辞して行くとなるとどんな気がするかね〉

和田謹吾は、花袋の臨終について、次のように記している。

「四月二十四日以来ついに流動食しかのどを通らなくなった。それでもなお断じて生きるという強い自信は消えなかったという。五月八日、午前中は『婦人画報』の懸賞小説の選をしていた。午前十一時ごろから激しい苦痛を訴え、熱は四十度を越えた。前に脳溢血の治療に当たった佐多博士、癌発病以来の山川博士、それに日常かかりつけの近所の医師がかけつけて応急手当をし、一時鎮静を得た。その時、花袋は覚悟を決めたという。自然の死に身を委ねようとするかのごとく、一切の注射を謝絶した。『これだけ苦しんでも、まだ死ねないのか！』と嘆声を発した。」

この五日後に花袋は息を引き取った。食べるものもほとんど喉を通らない、痛みも激しい中、臨終間際まで、文芸雑誌を読み、懸賞小説の選考をしていたということである。

そして、十一日の午後、島崎藤村が見舞いに来たが、「もう自分も死をかくごしなければなるまい、時

田山花袋墓〔多磨霊園〕

の問題だ」という花袋に、藤村は「この世を辞して行くとなるとどんな気がするかね」と聞いたそうであるが、花袋は、「何しろ人が死に直面した場合にはだれも知らない暗い所へ行くのだから中々単純な気持ちのものじゃない」と答えたという。

銀髪となり、やせ衰えた花袋に、藤村は、いかにも大きな人がこの世を辞してゆくという感を抱いて帰ったとのことである。

逝きし友田山花袋に向けて

〈もう一度、田山花袋に帰ろうではないか〉

花袋七回忌に、「決定版・花袋全集」が刊行され、島崎藤村は「田山花袋全集に寄す」と題して巻頭言を書いた。それには、「もう一度、田山花袋に帰ろうではないか。あの熱情を学ぼうではないか。あれほどの痩我慢と、不撓不屈の精神と、子供のような正直さと、そしてまた虚心坦懐の徳とを誰が持ち得たであろう。吾友、花袋子が熱心な文学生涯は明治二十四年の早い頃から、およそ三十八年の長い間に亘った。かれこそは文学革新の父と呼ばるべき人である。」と述べている。

日本の近代文学は、花袋、藤村らの「自然主義文学」の確立によって大きく革新されたと言われる。「自然主義」は、日本の近代文学史においてそれほどに大きな意義を持っていた。花袋が「文学革新の父」

島崎藤村
〔小諸市立藤村記念館提供〕

である、ということを藤村自身もその担い手でありながら、花袋のことをそう捉えていた。花袋の文学態度を知っていればこそ素直に評価した言葉であろう。

〈君はわれらにとりて実に忘れがたき人なり〉

「田山花袋記念館」所蔵の「田山花袋三十五回忌の追悼紀念帳」の中に、藤村が花袋の死にあたり『君はわれらにとりて実に忘れがたき人なり』との言葉を残していることが記されている。

花袋は、明治二十九年（一八九六）一月八日に、根岸の「伊香保」という料理家で開催された「文学界」の会合に出席した。藤村も出席していた。二人が会ったのは、この頃であり、共に二十四歳であった。それから三十四年間にもわたる長い付き合いであった。

藤村は、花袋の死後も友情の念さめることなく、「花袋全集」の出版の労を取ったり、「百夜（ももよ）」が単行本にもならずにいたのを気に留め、その刊行に尽力し、また序文も書いている。

〈もう一つの作が出来なかったのが残念だ〉

和田謹吾は、「十三日の払暁（ふつぎょう）、最後の苦しい息のなかで、きれぎれに前田晁（あきら）に語った。『いよいよ、君、お別れだ。ただ、もう一つの作が出来なかったのが残念だ。それが出来れば、自分の仕事は全く完成したのだが、とうとうそれが出来なかった。それが残念だが、仕方がない。』前田晁はその最後の一つを、明治維新の武士の没落の物語と解している。加藤武雄は支那の歴史に材をとって、徽宗（きそう）皇帝の末年を描こうとした意図のあった事は、筆者（加藤武雄）が直接に作者（花袋）から聴いている」ということを記している。

真相については知るよしもないが、花袋が胸に長く秘めていたのは、やはり自分の目で見ていた館林城下の武士たちの没落の姿、その記憶であったと思われるがどうであろうか。藤村の『夜明け前』を意識していたことも充分に察せられる。

その材料は身近にあった。旧館林藩重臣の岡谷繁実（おかのやしげざね）が秋元家から館林藩史の編纂を委嘱され、花袋の兄 実弥登も岡谷家の書生であったので、その編纂を手伝っていた。また実弥登自身にも「館林藩国事鞅掌禄（こくじおうしょうろく）」（明31）や、「埋れ木」（明41）など、館林藩の歴史に関係する著書があった。

6　田山瑞穂氏の述懐

館林の「田山花袋記念文学館」に「父を語る―田山瑞穂―」という映像記録がある。

田山瑞穂（みずほ）氏は、明治三十七年（一九〇四）に花袋の次男として、東京の代々木に生まれた。父花袋の記憶は二十六歳の頃までという。花袋は旅行にしょっちゅう出かけていたが、自分だけでなく、子供たち（長女礼、長男先蔵、次男瑞穂、次女千代子、三女整子）も旅行に連れて行くことがよくあった。家庭における花袋の顔はどちらかというと神経質で気難しい面があったようで、一般の父親のようにあまりくだけた話をすることはなかったようであるが、旅先では子供たちによくその土地の歴史や故事などいろいろ教えてくれたそうである。

次男の瑞穂氏は、昭和六十二年（一九八七）の「田山花袋記念館」開館当時、直系の子供として花袋を語ることのできる唯一の人であり、開館にあたっては多くの資料の提供もされるなど、随分と協力をされたとのことである。瑞穂氏は、それから三年後の平成二年（一九九〇）に死去した。したがって、今となれば大変貴重な記録を残されたといえる。

瑞穂氏は昭和二十四年（一九四九）に、館林市の尾曳稲荷神社を花袋の妻であり、瑞穂氏らの母である田山里さんらと共に訪れ、花袋の歌碑の除幕式に出席している。その時の記念写真が田山花袋記念文学館に残されている。瑞穂氏は東京の区立中学校教諭として勤務、父花袋のことについて雑誌「創作」に執筆するなど、花袋の身近で記憶していたことを、見たまま、感じたままを伝えんとしていたようである。

「田山花袋歌碑除幕式」より
田山瑞穂氏
〔田山花袋記念文学館提供〕

「田山花袋記念文学館」の常設展示図録に「父を語る―田山瑞穂―」という映像記録を文字に起したものが掲載されている。これによれば、「本記録は、瑞穂氏が父花袋と共に過ごした時期の記憶と父親像を語っていただいたもので、文学者花袋の素顔を伝えながら、その人間性と花袋文学の本質を理解しようと採録したものである。」とある。

採録日は昭和六十二年（一九八七）十月八日、採録場所は東京都世田谷区田山瑞穂氏宅であった。

「花袋文学」理解のための一助として、次男 瑞穂氏から見た父花袋について、その一部を記しておきたい。


〈父花袋との旅〉

ああ、それはしましたね。なんせ、夏休みなんかになると必ず連れていってくれたわけ。それが楽しみでしたよ。…父自身も旅は好きでしたから。「自分一人よりも子供を連れて一緒に行こう」なんて調子のところがあった。そういうところがね、何て言うんだろうなあ、自分の誇りにもしてたんだなあ、ありゃ。自分の子供を一緒に連れて行って、そして人に「これ、俺の息子だ」とか言いながらね。そういうところがあった。…ほうぼう旅行すると、歴史をしゃべってくれるわけですよ。よく知っているんですね。また、昔の人はいろんな歴史をしゃべってくれて、「なるほどなあ」と思って。それが楽しみでもあり、ちょっと面倒くさいところもあったけれども。「俺だってその位のことは知ってるぞ」という調子でしょ。だからね、父としてはあまり満足していなかったかも知れない。


〈旅の時の歩き方〉

それは印象に残っています。スタスタ歩いて、早いんですよ、割合。もうねえ、目的にパッと行く。ゆっくりしてもよさそうなのに…。気が早いんだな。

代々木の書斎にて〔田山花袋記念文学館提供〕

〈旅の時の仕事〉

ああ、仕事してましたよ。僕たちが「ちょっとおまえ、そこら散歩してこい」なんて言われてね。そして、兄貴と一緒にそこら散歩に行ってくる。その間に何か書いてた。で、筆を捨てることはあんまりなかったなあ。その点は、もうちょっと真似できない。暇さえあれば、何か書いていた。

〈時代が変わる中で、世の中がもてはやすものと、もてはやさないものが出てくるが、そういうことが、父花袋にもあったか〉

ああ、それは大いにありましたね。そのために随分悩んでいたこともあるし。やっぱし、世の中に触れていくことを一番大切にしていましたから、そういうことはあります。割合気にするほうですよ。そういうことにたいしては。…とにかく、あの時分、自分でも困っていたらしい。相当困って考えて、それを脇の子供がとやかく言うわけにはいかないしね。感じていても、それを直に言うわけにはいかない。…ようするに僕達と比べて、父はもっと勉強してますね。私達がやっているのは、あれはだめだね。もう、問題にならない。父の勉強の仕方からは。どこの学校をでたわけでもないでしょう。あれだけ文章を書いて、あれだけの物を残して…。相当な努力…ちょっと普通じゃできないと思う。

「瑞穂氏の言葉」から思うこと

父花袋を語る瑞穂氏の言葉からは、父と子供達との関係がどのようであったか読み取れる。そして父の生き方についての理解と敬意と懐かしさが感じ取れる。『残雪』ほか、多くの花袋文学に描かれた一人の女性、飯田代子(よね)への愛を昇華させていく父 花袋、言って見れば、妻 里さ(りさ)さんや、瑞穂氏ら子供たちからすれば、不倫であり裏切りであるが、父花袋の愚直さ、正直さ、芸術探究への真摯な態度、その性格ゆえの苦悩を知っていたからこそ、また花袋の文学に不可欠な存在になっている代子のことだからこそ、心ならずもどこかで認めざるを得なかったようにも思える。実際はそんなきれいごとにはいかなかったはずで、家族としての苦悩、不安や不満はずっとあったと思うが、晩年の花袋を支え、臨終にも立ちあい、髪を切って霊柩(れいきゅう)に供えたという代子、そうすることができたのは、田山家の家族の暗黙の了解があったからであろう。

花袋が逝去した翌日五月十四日の「報知新聞」に前田晁の追憶談が掲載され、その中に「遺言は『後を仲よくしてくれ』というだけであった。」という一文がある。家族、代子さん、門人、仕事仲間、そのいずれに向けての言葉であったのか、花袋の文学人生を改めて眺めたときに、芸術（文学）と現実の生活との軋(きし)み、葛藤が偲ばれる。大変意味深い言葉だと思われる。

次男の瑞穂氏は晩年まで、父親としての花袋、また文学者としての花袋について講演をしたり、いろいろ文章を書いておられたようである。父の故郷館林にも思いを寄せ、「田山花袋記念館」の開館にあたっても協力を惜しまなかったとのことである。

田山花袋歌碑除幕式〔館林市教育委員会文化振興課提供〕

瑞穂氏は、父花袋の文学に対する真剣さ、意欲、不屈の闘志、探究の姿勢を知れば知るほど、その偉大さにますます敬慕の念をいだいたものと思われる。

上の写真は、昭和二十四年（一九四九）、尾曳稲荷神社境内において、田山花袋歌碑除幕式の時に記念撮影されたものである。田島義利宮司からいただいた館林市教育委員会文化振興課発行の「田山花袋歌碑—城沼懐古—」から転載したものである。前列左から三女 整子、長女 津田礼、妻 里さ（りさ）、次男 田山瑞穂、孫 津田昭一（長女 礼の息子）、後列左から前田晁（あきら）、中村白葉（はくよう）、加藤武雄の各氏である。

「花袋研究会報」第一号（昭44・8）に「花袋の歌碑をめぐる断想」という川島泰一氏の文章があり、その時の様子や、前田、中村、加藤の三氏の講演の概要が伝えられている。

歌碑の短歌は「田とすかれ畑と打れてよしきりもすまずなりたる沼ぞかなしき」である。

幼馴染みの進藤長作氏に送った望郷の歌である。

大正五年（一九一六）頃の作と伝えられている。尾曳稲荷神社に進藤長作を訪ねた際に、揮毫（きごう）し送った歌とのことである。

おわりに

「『残雪』脱却の旅─妻沼逍遥─」の刊行にあたって

この度、「『残雪』脱却の旅─妻沼逍遥─」を刊行できる運びとなったことは大変嬉しく、これもひとえに関係の皆様方のご指導とご協力のお陰であり、深く感謝を申し上げる次第である。

今もなお新型コロナの感染の脅威により社会全体が苦しみ、様々な活動が停滞する状況が続いている。こうした情勢での調査研究であり、取材にも遠慮せざるを得なかったことや、図書館等の公的機関が休館になったり等、足踏みを余儀なくされてきた。そのような中にあったにもかかわらず、多くの皆様が快くご協力をくださり、ようやくここまでたどり着いたというのが実感である。

地元妻沼のシンボルである妻沼聖天山（めぬましょうでんざん）と、その境内の老舗（しにせ）割烹「千代桝」が田山花袋の長編小説『残雪』の舞台になっていたことは筆者も承知していた。多くの皆さんもこのことはご存知であったが、これまで地元においてこの小説に関する話題に触れることがあまりなかった。百年以上前の小説であり、作品そのものが一般によく知られていない。読んだことがあるという人も周囲にいなかったのである。

しかし、当時『残雪』は、新聞の読者や研究者、評論家の間ではかなり注目の作品であったようである。

大正六年十一月から翌七年三月まで、東京朝日新聞*に一〇五回にわたって連載されたが、連載が終わるとすぐ単行本になり、四月に初版、五月に再版、六月に三版と立て続けに発行されたのである。

春陽堂から単行本を出すということは作家たちの憧れであった。花袋がまだ売れていない頃、春陽堂で缶詰になって原稿を書いていた川上眉山（びざん）のもとを訪ねたことがあった。Y新聞（読売新聞）に五十回ほど連載した『夕霜』という小説があり、これがなんとか春陽堂から単行本にならないものかと考えて、眉山に推挙してほしいと頼み込んだのである。結果は、そう願うようにはならなかった。『残雪』執筆当時の花袋は、文壇を代表する大作家になっていたが、それにしても新聞連載後、春陽堂からすぐに本となり、さらには七版まで版を重ねたことはやはり凄いことであった。これだけでも相当の注目作品であったことがわかる。

しかし、『残雪』は内面告白を中心とした小説であり特に面白いストーリー性がある訳でもなく、文豪の作品ではあるが、妻沼町においてはあまり大きな話題にならなかったのではないかと思われる。大正四年（一九一五）、花袋が妻沼聖天山に来たことや、「千代桝」に泊ったことも、目立つ状況ではなかったのであろう。おそらく「千代桝」の人達以外に知る人はいなかったのではないだろうか。宴会をしていた町の名士達も、花袋の宿泊に気付いていなかったであろう。

花袋が妻沼に来たこの頃はユイスマンスの作品「途上」の主人公デュルタルの孤独な旅を自分自身に重ねていたと考えられる。『残雪』は、この年の妻沼への小旅行において構想を具体化させたものであろう。文学上の脱却、脱自然主義を試みた作品であり、花袋の後期文学に移行していく、その分岐点に位置し、大変意義深い作品であると言えるだろう。

＊東京朝日新聞…現在の「朝日新聞」。当時は「東京朝日新聞」と「大阪朝日新聞」があり、両社が統合されて「朝日新聞」になったのは昭和十五年（一九四〇）である。（「朝日新聞社小史」参照）

文豪田山花袋の足跡を訪ねて

筆者は、花袋の足跡を辿り、花袋の故郷 館林に幾度も足を運び、館林城址、城沼、尾曳稲荷神社、善長寺、常光寺、花袋旧居跡、そして花袋文学の軌跡が膨大な資料として残されている田山花袋記念文学館などを巡ってみた。実際に花袋が長く暮したのは東京代々木の自宅である。文学活動の拠点も東京であるが、この館林なくして花袋文学を語ることはできない。花袋にとって忘れ難きふる郷なのである。花袋が繰り返し懐古する故郷である。

莫逆の友 太田玉茗が住職を務めた羽生の建福寺、『残雪』の舞台になった妻沼聖天山、その境内で、現在も経営している割烹料理「千代桝」、この辺りは日頃出かけることが多い。

また、都内の花袋ゆかりの地、独歩と出会った渋谷の「丘の上の家」、自然主義文学発祥の地、元新龍土町にあったフランス料理の「龍土軒」（現在は西麻布に移転）、花袋が眠る多磨霊園、花袋と切り離すことのできない「一人の女」飯田代子が眠る文京区小日向の林泉寺なども訪れ、関係の方々からお話を伺ったり、周辺を歩いて見たりした。実際に現地を歩き、関係の人や専門家の方から話を聞くことができて、筆者はどれだけ力を与えられたか計り知れない。

『残雪』の解説書として

花袋の故郷、館林市には「田山花袋記念文学館」があり、膨大な資料が所蔵されている。また、田山花袋に関する研究会などもあって、多くの研究者、学者が学術的に研究し、その成果もすでに膨大な著作になっている。筆者としては、こうした専門的な研究書としてではなく、逸話なども挿入し、できるだけわかり易い作品解説的なものにすることを目指してきた。

『残雪』だけ読んだのでは理解し切れないことから、花袋文学の軌跡、当時の花袋の置かれた状況を知ることが必要であると考え、多くの文献に目を通し、時間を費やした。これにより作品についての理解が深まっていったように思われる。

『残雪』は、主人公（モデル 花袋）の心境や思想の告白が連綿と続くスタイルを取っており、しかも文章が区切れなく長々と続くため、途中飛ばしたくなるところもあるかと思われる。筆者も何度か読み返すなどして理解し作品に寄り添ってきた。

この作品には、田山花袋の文学と人生が随所に盛り込まれており、花袋を知った上で読んだほうが理解しやすいと思われる。逆に言うと、花袋のことを全く知らずに読んだのでは何のことやらと思うところがあるかもしれない。そういった理由から、この著書では、『残雪』の内容に関係した第一部と、「田山花袋の軌跡」に関係する第二部とに分けて、多方面にわたり解説を加えている。

この著書を読むことで、文豪田山花袋の文学人生や業績、そして花袋が文学上の転換を試みた意欲作『残雪』という小説のことが少しでも理解され、多くの人々に親しんでいただければと願うところである。

ご指導ご協力をいただいた皆様への謝意

先ずは、館林市教育委員会文化振興課 阿部弥生文化財係長に、田山花袋の作品や研究書、資料等について多くのご示唆をいただいたことや、筆者の疑問・質問に対しいつもご丁寧にご教示いただいたことが、この調査研究を進める上での大きな力になったことを申し添え、あらためて御礼を申し上げたい。

そして、この調査研究のきっかけをつくっていただいた妻沼地域文化財調査研究会 井上勲会長をはじめ研究会の皆様、『残雪』の主要舞台になった妻沼聖天山歓喜院の鈴木英全院主、英秀副院主ならびに割烹「千代桝」店主 鈴木清一氏・美恵子さんご夫妻のご協力に対して深く感謝を申し上げたい。

また、妻沼掛け軸愛好会会長 鈴木進氏、同会事務局長の「めぬま館お休み処」主人 田島通明氏、むすぶん堂 福島聡氏、館林市 尾曳稲荷神社宮司 田島義利氏、同神社禰宜 田島義高氏、熊谷市教育委員会市史編さん室 蛭間健吾氏、羽生山建福寺住職 安野正樹氏、青龍山林泉寺住職 江田真人氏、製粉ミュージアム館長 町田英樹氏、同主幹 古閑文浩氏、西麻布「龍土軒」店主 岡野利男氏・静子さんご夫妻、度々の調査にご協力いただいた館林市教育委員会文化振興課・田山花袋記念文学館、館林市立図書館、埼玉県教育局、埼玉県立さいたま文学館、埼玉県立図書館、熊谷市立図書館、株式会社テレビ埼玉、小諸市立藤村記念館、同 小諸義塾記念館、山梨県 南アルプス市立美術館そして、編集・校正等に親身になってご協力ご尽力いただいた まつやま書房 山本正史氏、山本智紀氏、内田翼氏ほか、これまでご協力をいただいたすべての皆様に深く感謝を申し上げ、御礼に代えさせていただきたい。

令和三年（二〇二一年）六月三十日

増田育雄

年譜

【年　譜】＊「定本花袋全集」（臨川書店）、「田山花袋記念文学館」の年譜を参照
年齢は満年齢

明治五年（一八七二）
一月二十二日（旧暦、明治四年十二月十三日）、田山鍋十郎の次男として生まれる。本名録弥。

明治七年（一八七四）二歳
一月、父鍋十郎、上京し警視庁の邏卒となる。

明治九年（一八七六）四歳
三月、弟富弥誕生。三月末、祖父母を館林に残して一家（母、姉かつよ、録弥、弟富弥、）で上京、根岸署に勤務する父と同居した。

明治十年（一八七七）五歳
二月、父鍋十郎、西南戦争にて戦死。館林に戻る。

明治十四年（一八八一）九歳
足利の薬種問屋小松屋に丁稚奉公。祖父穂弥太に伴われ上京し、書店「有隣堂」に丁稚奉公。

明治十五年（一八八二）十歳
「有隣堂」で過ちを犯して解雇され、館林に戻る。

明治十六年（一八八三）十一歳
儒者吉田陋軒の「休々草堂」にて漢詩文を学ぶ。

明治十八年（一八八五）十三歳
「頴才新詩」に漢詩を投稿、初めて掲載された。

明治十九年（一八八六）十四歳
二月吉田陋軒死去。四月、兄実弥登が修史館（後の東大史料編纂所）に就職。七月、祖父母・母・弟の一家を挙げて上京。牛込区市ヶ谷富久町に住んだ（この後牛込近辺にて転居を重ねる）。九月、「東京速成学館」に学ぶ。この年、野島金八郎と交流、西洋文学に触れる。

明治二十一年（一八八八）十六歳
四月、陸軍幼年学校を受験し、近視のために失敗。日本英学館（明治会学館）に入学、英語を学ぶ。五月、祖父穂弥太死去、十月、祖母いく死去。

明治二十二年（一八八九）十七歳
二月頃、松浦辰男に入門、和歌を学ぶ。

明治二十三年（一八九〇）十八歳
太田玉茗に出会う。松浦門下生、「紅葉会」を結成。

明治二十四年（一八九一）十九歳
尾崎紅葉を訪問。紅葉から江見水蔭を紹介され、小説の指導を受ける。処女作『瓜畑』を古桐軒主人の筆名で発表。松岡（柳田）国男に出会う。

明治二十五年（一八九二）二十歳
三月、「落花村」を発表、初めて「花袋」の号を用いた。十一月、「都の花」に連載した『新桜川』で、初めて原稿料七円五十銭を受け取った。

明治二十七年（一八九四）二十二歳
五月、「文学界」に北村透谷追悼の和歌を投稿。「文学界」同人に加わる。

明治二十九年（一八九六）二十四歳
一月、島崎藤村との交友が始まる。十一月、太田玉茗と共に渋谷の「丘の上の家」に住む国木田独歩を訪問した。

明治三十年（一八九七）二十五歳
四月、独歩と日光照尊院にて二カ月共同生活。湖処子、独歩、国男、玉茗らと『抒情詩』を刊行。

明治三十二年（一八九九）二十七歳
一月、太田玉茗の妹、伊藤里さと結婚。太田玉茗、建福寺の住職となる。八月、母てつ死去。九月、博文館入社。紀行文『南船北馬』、『日光』を春陽堂より刊行。『ふる郷』を新声社より刊行。

明治三十三年（一九〇〇）二十八歳
十月、長女礼誕生。秋、「太平洋」の編集を担当。

明治三十五年（一九〇二）三十歳
五月、長男先蔵誕生（柳田国男が命名）。『重右衛門の最後』を発表。

明治三十六年（一九〇三）三十一歳
一月、「大日本地誌」の編集に従事。三十日、尾崎紅葉死去。

明治三十七年（一九〇四）三十二歳
二月、次男瑞穂誕生。二月末、岡田美知代が入門。三月、第二軍私設写真班として日露戦争従軍。従軍中、軍医部長の森鷗外と出会う。九月、帰朝。十一月十二日、麻布「龍土軒」での会合（後の「龍土会」）に出席。十二月、邑楽郡主催の講演会で従軍談。『露骨なる描写』を発表。

明治三十八年（一九〇五）三十三歳
一月『第二軍従征日記』刊行（序に鷗外が短歌一首を寄せる）。四月、銚子で療養中の独歩を見舞う。

明治三十九年（一九〇六）三十四歳
一月、岡田美知代が帰郷。三月、花袋主筆の「文章世界」が博文館より創刊。十二月、東京府豊多摩郡代々幡村大字代々木の新築の家に転居。

明治四十年（一九〇七）三十五歳
九月、赤坂の待合「鶴川」で飯田代子を知る。九日、兄実弥登、結核で死去。『蒲団』を発表。

明治四十一年（一九〇八）三十六歳
六月二十三日、国木田独歩が南湖院で没した。七月中旬から八月九日まで、九州旅行。八月三日、八代にて父鋿十郎の墓参を果たした。飯田代子が銀座「天金」隣の実業家に落籍される。『一兵卒』、『生』、『妻』を発表。

明治四十二年（一九〇九）三十七歳
十一月、三女整子誕生。この頃自然主義文学は全盛期を迎える。『田舎教師』を発表。

明治四十三年（一九一〇）三十八歳
この月、向島「福家」から小利の名前で再度出た飯田代子と再び会うようになった。『縁』を発表。

明治四十四年（一九一一）三十九歳
十二月、飯田代子に向島の「須磨屋」を持たせ、父母、弟妹と共に転居させた。『髪』を発表。

明治四十五年（一九一二）四十歳
十月、上毛モスリン、日清製粉の工場を見学。十二月、博文館退社。この月、飯田代子が、一時、力士四海波に走った。

大正二年（一九一三）四十一歳
三月二十一日、「柳光亭」での文壇人による島崎藤村渡欧送別会出席。

大正三年（一九一四）四十二歳
紀行文「日本一周」を発表。

大正四年（一九一五）四十三歳
一月十四日、羽生へ。二泊し、十六日、西長岡鉱泉（長生館）泊。十七日、妻沼（千代桝）泊。十八日、羽生建福寺に帰る。四月、里さの母伊藤

とら死去（享年六十七）

大正五年（一九一六）四十四歳

七月一日夜、富士見に向かい、九月十四日まで滞在。九月、『時は過ぎゆく』を発表。

大正六年（一九一七）四十五歳

一月、羽生に一泊し、館林へ。進藤長作と会い、川俣泊。『一兵卒の銃殺』、『東京の三十年』を刊行。

大正七年（一九一八）四十六歳

『残雪』を刊行

大正九年（一九二〇）四十八歳

「文章世界」が終刊になった。

大正十二年（一九二三）五十一歳

九月一日、関東大震災。「花袋全集」刊行。「近代の小説」を発表。

大正十三年（一九二四）五十二歳

十二月、『源義朝』出版記念会出席。『源義朝』、『東京震災記』を発表。

大正十五年（一九二六）五十四歳

『恋の殿堂』『通盛の妻』を発表。

昭和二年（一九二七）五十五歳

四月、太田玉茗が小田原の海浜病院で死去（享年五十七歳）。『百夜』を発表。

昭和三年（一九二八）五十六歳

十二月二十七日、飯田代子宅で脳溢血で倒れ、虎の門の佐多病院に入院。左半身不随を来した。

昭和四年（一九二九）五十七歳

五月、喉から出血、六月上旬、喉頭癌と診断され、放射線治療を受ける。

昭和五年（一九三〇）五十八歳

四月、喉頭癌の病状が悪化。五月十三日、代々木の自宅にて死去。柳田国男が花袋の葬儀で友人総代を務める。多磨墓地に葬られる。

【参考文献】

田山花袋『残雪』三版（春陽堂）大正七年

田山花袋『田山花袋の日本一周（後編）』（博文館）大正六年

田山花袋『雪の関東平野』（太陽21巻3号）大正四年

田山花袋『一日の行楽』（博文館）大正七年

花袋全集刊行会編「定本花袋全集」全二十八巻（臨川書店）平成六～九年、平成六年復刻

小林一郎「田山花袋研究─館林時代─」（桜楓社）昭和五一年

小林一郎「田山花袋研究─博文館時代─」（桜楓社）昭和五一年

小林一郎「田山花袋研究─『危機意識』克服の時代(1)」（桜楓社）昭和五六年

小林一郎『田山花袋研究─『危機意識』克服の時代(2)」（桜楓社）昭和五七年

小林一郎「田山花袋研究─歴史小説時代より晩年─」（桜楓社）昭和五九年

小林一郎代表編「花袋研究学会々誌 第10 12 18 19 21 23 24 25 26 34号」平成一二年～二九年

岡谷繁実「館林藩史話　館林叢談」（歴史図書社）一九七六年

田山花袋『東京の三十年』（岩波書店）昭和五六年（初出 大正六年）

「田山花袋記念館研究紀要第1・4・7・8・9・12号」（田山花袋記念館）平成一・八・一二年

「田山花袋記念文学館研究紀要第18号」（田山花袋記念文学館）平成一七年

「─文学が描いた埼玉の鉄道─ 鉄道のある情景」（さいたま文学館）平成一九年

「田山花袋 初恋の人」（館林市立図書館『館林双書』第10巻）昭和五五年（初出 明治四〇年）

「田山花袋 ふる郷」（館林市立図書館『館林双書』第1～3巻）昭和四七年（初出 明治三二年）

田山花袋「近世十五篇（『父の墓』、『祖父母』）」（博文館）明治四三年
田山花袋「家鴨の水かき」（「文章世界」第12巻）大正六年
埼玉県立図書館双書刊行委員会「ふるさとの文学 田山花袋文学の周辺」（埼玉県立図書館）昭和五五年
宮内俊介「田山花袋書誌」（桜楓社）平成元年
宮内俊介「田山花袋全小説解題」（双文社出版）二〇〇三年
進藤完治・平沢禎二編「進藤長作 遺構 田山花袋の少年時代」昭和四五年
岩永胖「白然主義文学における 虚構の可能性」（桜楓社）一九六八年
「企画展 田山花袋の『田舎教師』から100年　田舎教師が愛した景色」（さいたま文学館）平成二一年
「企画展 田山花袋と明治の文学」（さいたま文学館）平成三〇年
「田山花袋作品集2 幼き頃のスケッチ」（館林市教育委員会文化振興課）平成九年
「開館記念特別展 島崎藤村と花袋 ―自然主義文学の双璧―」（館林市教育委員会文化振興課）昭和六二年
「田山花袋記念館特別展―花袋と友人作家― 国木田独歩展」（館林市教育委員会文化振興課）昭和六三年
「開館10周年記念特別展 自然主義作家展 ―花袋・藤村・秋声・泡鳴・白鳥―」（館林市教育委員会文化振興課）平成九年
「田山花袋没後七十年記念特別展『時は過ぎゆく』をめぐって 明治維新と田山家の五十年」（田山花袋記念館）平成一二年
「館林市制施行60周年記念・田山花袋記念文学館特別展 すべては『山の中』と『平野の中の摺鉢の底』から始まった―藤村と花袋―」（館林市教育委員会文化振興課）平成二六年
「花袋の友達 100人」（館林市教育委員会文化振興課）平成二六年
「田山花袋記念文学館」（館林市教育委員会文化振興課）平成二七年

「特別展 鷗外と花袋 ─近代の文学を築いた二人の接点─」(館林市教育委員会文化振興課 田山花袋記念文学館) 平成二八年
「特別展 私の大きくなった町─花袋が描いた町の発展と変化─」平成二五年(館林市教育委員会文化振興課)
「特別展 花袋と与謝野晶子 ─その恋愛観─」(田山花袋記念文学館) 平成一五年
「開館15周年記念企画展 花袋と柳田国男 ─国男の手紙と花袋の作品─」(館林市教育委員会文化振興課 田山花袋記念文学館) 平成一四年
「文豪 花袋のふるさと」(館林市教育委員会文化振興課) 平成九年
「城下町その歴史 近世館林藩の大名」(館林市教育委員会)
「田山花袋記念館研究叢書『蒲団』をめぐる書簡集」(館林市教育委員会文化振興課) 一九九三年
「現代日本文学大系11 國木田独歩 田山花袋集」(筑摩書房) 一九七〇年
「日本文学全集9・10 田山花袋集」(筑摩書房) 昭和四五年
「日本近代文学大系第19巻 田山花袋集」(角川書店) 昭和四七年
「現代日本文学全集21 田山花袋集 (二)」(筑摩書房) 一九六七年
沢豊彦「田山花袋と大正モダン」(菁柿堂) 二〇〇五年
田部井福一郎「作品から見た花袋の恋」(館林文化第六号) 昭和三五年
兼清正徳「桂園派最後の歌人 松浦辰男の生涯」(作品社) 一九九四年
奈良原春作 編著「ふるさとの思い出写真集 明治 大正 昭和 妻沼」(国書刊行会) 昭和五六年
関俊治・松本夜詩夫「目で見る群馬県の大正時代 中毛篇 東毛篇」(国書刊行会) 昭和六一年
高浜虚子編「ホトトギス (六月号)」大正六年
妻沼町誌編纂委員会「妻沼町誌」(妻沼町役場) 昭和五二年

熊谷市教育委員会市史編さん室「熊谷市史 別編2 妻沼聖天山の建築 本編・史料集」（熊谷市）平成二八年
熊谷市教育委員会市史編さん室「熊谷市史 資料編8 近代・現代3 妻沼地域編」（熊谷市）平成三一年
館林市教育委員会「館林市史特別編第一巻」二〇〇四年
柳田敏司監修「妻沼 聖天山《熊谷》【改訂版】」（さきたま文庫）二〇一一年
東京番附調査会編「今古大番附：七十余類」（文山館書店）大正一二年
高柳鶴太郎編「埼玉縣營業便覧」（全國營業便覧發行所）明治三五年
高木健夫「新聞小説史」明治篇・大正篇（国書刊行会）昭和四九・五一年
高木健夫「新聞小説史年表」（国書刊行会）平成八年
岡野武勇「龍土軒史 明治 大正 昭和 平成」（講談社ビジネスパートナーズ）一九九八
原山喜亥編「羽生ゆかりの作品をめぐって」平成二〇年
原山喜亥編著「埼玉最初の近代詩人 太田玉茗の足跡」（まつやま書房）二〇一三年
原山喜亥編「田山花袋著 秋の寺日記」平成一二年
藤田佳世「大正・渋谷道玄坂」昭和五三年（青蛙房）
大岡昇平「少年―ある自伝の試み」（筑摩書房）
重田昌男「シリーズ藩物語 川越藩」二〇一五年（現代書館）
しの木弘明「金井烏洲」（群馬県文化事業振興会）昭和五一年
「江戸時代 人づくり風土記⑩ふるさとの人と知恵 群馬」（社団法人 農山漁村文化協会）一九九七年

著者略歴

増田 育雄（ますだ　いくお）

昭和23年生。立命館大学文学部文学科中国文学専攻卒業、
早稲田大学教育学部国語国文専攻科中退、千葉県・埼玉県の私立・公立高校の教諭、教頭、副校長、校長、
埼玉県立総合教育センター指導主事兼主任専門員を歴任。
現在、妻沼地域文化財調査研究会理事兼専門調査員、妻沼聖天山世話人、
斎藤別当実盛公敬仰会会員 等

【写真提供・許可】
館林市教育委員会文化振興課・田山花袋記念文学館、
妻沼聖天山歓喜院 鈴木英全院主、「割烹料理 千代桝」店主 鈴木清一氏、
尾曳稲荷神社 田島義利宮司、日清ｸﾞﾙｰﾌﾟ製粉ミュージアム、
羽生山建福寺 安野正樹住職、埼玉県教育局、埼玉県立さいたま文学館、
国立国会図書館、筑摩書房、国書刊行会、西麻布「龍土軒」店主 岡野利男氏、
青龍山林泉寺 江田真人住職、小諸市立藤村記念館、小諸市立小諸義塾記念館、
山梨県南アルプス市立美術館、

文豪田山花袋の軌跡
『残雪』脱却の旅　―妻沼逍遥―

2021年7月30日　初版第一刷発行

著　者　増田　育雄
発行者　山本　正史
印　刷　恵友印刷株式会社
発行所　まつやま書房
〒355－0017　埼玉県東松山市松葉町3－2－5
Tel.0493－22－4162　Fax.0493－22－4460
郵便振替　00190－3－70394
URL:http://www.matsuyama－syobou.com/

ISBN 978-4-89623-162-5 C0095